L'ENCHANTEMENT
HARRY POTTER

BENOÎT VIROLE

L'ENCHANTEMENT
HARRY POTTER

La psychologie de l'enfant nouveau

HACHETTE
Littératures

Collection fondée par Georges Liébert
et dirigée par Joël Roman

Avant-propos

Cet ouvrage est une interprétation de l'œuvre de Joanne Kathleen Rowling et une analyse de ses retentissements sur les processus de pensée des pré-adolescents. Je propose dans ce livre quelques pistes de réflexion tirées de ma propre lecture du texte et de nombreux échanges avec des enfants fidèles lecteurs de *Harry Potter*, rencontrés dans ma pratique de psychologue ou à titre privé.

Bien des retournements dans les prochains ouvrages de J.K. Rowling peuvent infléchir telle ou telle conclusion présentée ici. Toute œuvre contient en son sein la magie propre de l'écriture qu'aucune exégèse ne peut affaiblir. J'espère que cet ouvrage donnera à chacun l'envie de lire, si ce n'est déjà fait, les extraordinaires aventures de Harry Potter. Il met simplement à la disposition du lecteur quelques outils pour la construction de son propre jugement et n'aspire qu'à être un mode d'emploi pour mieux comprendre les raisons d'un phénomène éditorial sans précédent.

Ce livre est dédié à tous les enfants et adolescents qui ont su trouver les mots pour me faire aimer les aventures de Harry et particulièrement : Aliette, Florent, Aurélie, Cécile, Pauline, Julia, Monalisa, Rachel, Simon, Romain, Louise, Maud, Solange, Delphine et Juliette.

I Un phénomène éditorial

Simon, 11 ans – « C'est mon premier livre. Avant, j'aimais pas lire. »

Juliette, 10 ans – « C'était le jour de mon anniversaire de 9 ans. J'ai une copine qui m'a offert le coffret avec les trois premiers. Au début, je me suis dit, « bon, c'est un livre ordinaire » et puis, après j'ai un ami qui a commencé à le lire et il a commencé à m'en parler, et puis, j'ai vu que ce qu'il disait ça avait l'air intéressant, alors j'ai commencé à lire le premier. Au début du premier, je me suis dit « c'est pas bien mais il faut que je continue à le lire ». Après je comptais les jours en attendant le quatrième. »

Tout le monde a maintenant entendu parler de Harry Potter. Les aventures du jeune sorcier ont été publiées dans le monde entier et traduites dans plus de cinquante langues. Les chiffres de vente dépassent aujourd'hui les 66 millions d'exemplaires vendus dans le monde, dont près de la moitié aux États-Unis et plus d'un million deux cent cinquante mille exemplaires en France pour les trois premiers volumes. Par comparaison, les chiffres de vente d'une œuvre très célèbre de la littérature pour enfants, Le Petit Prince de Saint-Exupéry, plafonnent à 20 millions d'exemplaires depuis sa parution en 1946.

La presse a salué unanimement le phénomène. De nombreuses analyses ont tenté de l'expliquer en mettant en avant les stratégies de marketing utilisées par les grandes maisons d'édition. Le lancement du quatrième tome de 656 pages, qui vient de paraître en français, a en effet été réalisé selon des techniques de promotion commerciale de masse : la date de sortie a été soigneusement annoncée à l'avance ; des bons de réservation ont été proposés ; une publicité soigneusement calibrée a été distillée régulièrement. Bref, on a assisté à une véritable opération de marketing de grande ampleur.

Forte de tels moyens commerciaux, l'opération a su conquérir effectivement de très nombreux jeunes lecteurs. Il s'en est suivi un succès de vente remarquable qui a sans doute fait grincer bien des dents. Tout ceci révèle certes au grand jour les luttes actuelles du marché de l'édition et la volonté de capture du lectorat enfantin. Celui-ci constitue en effet un des marchés les plus résistants de l'édition traditionnelle et reste une source de profits importants, à la condition toutefois de ventes conséquentes. Malgré tout, si on retrace l'histoire de la publication de *Harry Potter*, on est bien obligé d'admettre que le marketing n'est venu qu'après coup exploiter une adhésion spontanée et immédiate du jeune public aux premiers tomes écrits par J.K. Rowling.

L'histoire de la création de *Harry Potter* et de ses premiers pas dans le monde de l'édition est maintenant bien connue. Son auteur est une jeune femme d'origine écossaise. Après des études de français à Exeter, elle travaille quelque temps à Londres pour Amnisty International. Elle part ensuite enseigner au Portugal où elle rencontre un homme qui deviendra le père de sa fille, Jessica. Le mariage ne dure qu'un an. Après la séparation, elle retourne vivre à Edimbourg où elle essaie de se remettre d'une dépression consécutive à la séparation. Elle reprend alors un ancien projet de livre pour enfant racontant l'initiation d'un jeune sorcier. Rowling a eu l'idée de son personnage alors qu'elle attendait un train qui n'arrivait pas. Elle aurait ensuite écrit dans des conditions économiques très difficiles. La petite histoire raconte que dès que sa petite fille s'endormait, elle fuyait son appartement non chauffé par mesure d'économies et se réfugiait dans un café pour écrire. En 1995, l'agent littéraire Christopher Little accepte de publier l'ouvrage chez Bloomsbury, après neuf refus d'éditeurs pour la jeunesse. *Harry Potter à l'école des sorciers* est immédiatement acclamé par la presse et récompensé par de nombreux prix. Sur le conseil de l'éditrice Christine Baker, Gallimard achète les droits de la série et publie le premier tome dès 1998.

Tous ces événements bien réels sont exploités commercialement. Ils deviennent maintenant constitutifs d'une sorte de mythe de la création littéraire. Il n'en reste pas moins que le premier ouvrage a connu un succès considérable alors que son auteur était totalement inconnue et qu'il n'avait pas été l'objet d'une promotion à grande échelle. Il est vrai que les ouvrages suivants, et peut-être aussi le projet de réaliser une série de sept (chiffre magique !) livres, obéissent à une logique commerciale d'exploitation d'un filon pour le moins rentable. Mais, quoi qu'il en soit, il est vain de vouloir séparer à tous prix le contenu de l'œuvre de son emballage marketing. De fait, les deux aspects sont étroitement dépendants. *Harry Potter* est un livre écrit pour des enfants vivant dans une économie de marché pour lesquels la distinction entre objet de culture et objet de consommation n'a plus beaucoup de sens. On ne peut donc mettre uniquement le succès de *Harry Potter* sur le compte de la réussite marketing. Il faut admettre l'existence dans cette œuvre d'une composante particulière qui a suscité une véritable passion chez les enfants.

> **Aurélie, 11 ans** – « J'ai rencontré Harry Potter par des copines qui m'en ont parlé jour et nuit alors je m'y suis mise. »

> **Maud, 12 ans** – « Ma grand-mère m'a offert les trois premiers tomes dans un coffret pour mon anniversaire et le quatrième, je l'ai acheté moi-même. »

> **Solange, 11 ans** – « On me l'a conseillé et en allant à la librairie j'ai lu le résumé et cela m'a paru super (et d'ailleurs ça l'était !) »

> **Pauline, 8 ans et demi** – « C'est ma maman qui m'a acheté par hasard le livre et j'ai trouvé ça génial. »

Le succès extraordinaire de ces ouvrages constitue un fait de société d'autant plus remarquable qu'il s'inscrit dans le contexte souvent évoqué d'un désintérêt croissant des jeunes pour la lecture. Démenti net à cette idée préconçue, l'engouement de millions d'enfants pour les aventures du jeune apprenti sorcier montre qu'une œuvre littéraire peut être lue avec passion dès lors qu'elle contient les ingrédients nécessaires pour nourrir l'appétit d'imaginaire de l'enfance. Pourtant ce succès n'est pas sans susciter des interrogations, voire des inquiétudes comme en témoigne la récente interdiction de ce livre dans certaines écoles du Texas ou de Chine.

Qu'y a-t-il donc de si puissant au sein de ce livre pour qu'il puisse ainsi capter l'attention de nos enfants et, pour nombre d'entre eux, les amener à lire leur premier livre ?

Quels sont les ressorts cachés, voulus ou non par l'auteur, qui permettent l'accrochage de ces jeunes et moins jeunes lecteurs et les entraînent à la suite de Harry dans cet étrange monde des sorciers et de la magie ?

Quelles sont les structures profondes de l'imaginaire qui sont implicitement mises en œuvre par ce récit et à quels besoins fondamentaux des jeunes d'aujourd'hui ce livre permet-il de répondre ?

Enfin, quel peut être l'impact potentiel de cette lecture sur le développement psychologique des pré-adolescents ?

II

L'histoire de Harry Potter

« L'enfant a besoin qu'on lui parle des événements de tous les jours, mais en les situant dans un lieu qui est le royaume de l'imaginaire, pour ne le ramener qu'à la fin au quotidien. C'est ce qu'il y a de plus difficile à écrire, il y faut un grand artiste. »

Bruno Bettelheim

Florent, 12 ans - « Dans Harry Potter, l'école ça ressemble à l'école, mais c'est pas l'école. »

L a meilleure façon de faire connaissance avec Harry Potter est de raconter l'histoire de sa vie. Il va de soi qu'on ne peut résumer l'ensemble des aventures de Harry contées dans les quatre tomes parus à ce jour et qui se singularisent par une prolifération de personnages et de péripéties. En revanche, il est possible de résumer la trame globale de l'histoire et d'en décrire les principaux protagonistes.

Orphelin depuis la toute petite enfance à la suite d'un terrible accident de voiture où ses deux parents sont décédés dans des circonstances mystérieuses, le jeune Harry a été recueilli nourrisson par la famille de sa tante (sœur de sa mère). Il a été trouvé dans un landau sur le pas de leur porte. Harry n'a plus de souvenirs de l'accident, excepté celui d'une terrible lumière verte aveuglante et d'une intense douleur au front. Depuis lors, le front de Harry présente une étrange cicatrice en forme d'éclair.

La vie de Harry dans la famille Dursley est une longue suite de servitudes. Il vit dans un placard sous l'escalier de la maison, objet d'humiliations permanentes. Les parents Dursley, à l'aise sur le plan financier, rationnent Harry et lui font subir des privations sévères alors que leur propre fils, Dudley, est gâté jusqu'à l'écœurement. La description par Rowling de la famille Dursley est, sur ce plan, une forme de caricature de la famille dans une société de consommation. Le pastiche est constant, souvent très acide, et ce d'autant plus que la famille est vue au travers des yeux de Harry.

Parallèlement à la description de la vie de Harry dans cette famille, dont on notera la proximité avec celle de Cendrillon, on apprend l'existence d'un monde parallèle au monde réel, le monde des sorciers. Il jouxte le monde réel des hommes ordinaires, appelé par les sorciers le monde des Moldus. Ces deux mondes ne sont pas strictement indépendants. Toutes sortes de phénomènes bizarres, provoqués par les sorciers, ont lieu dans le monde des Moldus, en particulier dans l'entourage de Harry.

Harry Potter à l'école des sorciers

On apprend dans le premier ouvrage qu'Harry est un sorcier, fils unique de sorciers assassinés au cours d'un combat impitoyable contre un mage appartenant aux forces du mal, Lord Voldemort. Il s'agit d'un personnage très dangereux, immensément puissant, dont personne n'ose prononcer le nom et généralement nommé « Tu-sais-qui » ou « Celui-Dont-On-Ne-Doit-Pas-Prononcer-Le-Nom ». Pour une raison mystérieuse, Harry, alors nourrisson, a survécu à ce combat. Il en conservera une marque indélébile, une cicatrice en forme d'éclair sur le front. Harry ignore tout de ses origines et de la mort de ses parents.

À l'approche de sa onzième année, il apprend qu'il doit quitter sa famille d'adoption. Il est en effet en âge de rentrer comme interne au collège des sorciers où tous les sorciers et sorcières acquièrent leur formation. La direction du collège de Poudlard est assumée par le sorcier principal, Albus Dumbledore. Rowling le présente sous les traits d'un homme bon et compréhensif mais respectueux de la loi et soucieux de la faire observer par les collégiens. Il a bien connu le père de Harry. Il est lui-même une image paternelle rassurante, gardien de l'ordre du monde des sorciers contre les forces de la désorganisation représentées par Lord Voldemort et ses multiples acolytes. Bien que les convocations mandant Harry auprès de Dumbledore aient été interceptées par les Dursley, Harry finira par rencontrer Hagrid, envoyé par le collège pour le ramener. Ce dernier, sorcier en quelque sorte gardien du collège, deviendra un de ses grands amis.

Le départ de Harry pour Poudlard est l'occasion d'en savoir plus sur la disposition topographique de l'univers des sorciers. Le monde ordinaire et le monde magique communiquent par des lieux intermédiaires et des passages seuls connus des sorciers. Par exemple, le train pour Poudlard part bien de la gare de Londres mais le numéro de son quai est le neuf trois quart (9 ¾). Les jeux sur le sens et le non sens de ce style, fort proches des facéties de Lewis Carroll, sont très nombreux dans l'œuvre de Rowling. Arrivé au collège, Harry vit une série d'aventures contées dans le premier tome au rythme de l'année scolaire. Il s'y fait des amis - en particulier Ron, fils de sorciers désargentés, et Hermione, petite écolière bonne élève – et de nombreux ennemis.

> **Delphine, 12 ans** - « Hermione est très intello. Elle est toujours à la bibliothèque. Personne ne la connaît, mais elle doit être super sympa. »

> **Louise, 11 ans** - « Ron, il est assez sympa. Il a un peu le même caractère qu'Harry. Il a beaucoup de frères et sa petite sœur, Ginny, est amoureuse d'Harry. Harry lui, il est amoureux de Cho qui est à Serdaigle. Mais elle, elle est amoureuse de Cédric, ça va pas marcher. On le saura plus tard dans les autres tomes. »

Le collège des sorciers, et plus généralement le monde des sorciers, est présenté comme l'est le monde réel, avec des personnages bons et secourables, d'autres méchants et égoïstes. Chaque élève de Poudlard appartient à l'une des quatre maisons du collège. Chaque maison comporte un certain nombre d'élèves et possède une équipe de sport. Les différentes équipes (Serpentards, Serdaigle, Poufsouffle, Gryfondor) s'affrontent dans des concours de magie et au Quiddtich, curieux jeu collectif qui se déroule dans les airs, condensant le base ball, le rugby et le football. Ce sport se joue sur les célèbres balais de sorciers. Deux équipes de sept joueurs, constituées de trois poursuiveurs, de deux batteurs, d'un attrapeur et d'un gardien s'affrontent, le but du jeu étant de marquer le plus de points en envoyant une balle (le souafle) dans les buts de l'équipe adverse ou en capturant le Vif d'or (une autre balle) tout en évitant les cognards (des balles chargées de « cogner » les joueurs). Le jeu se termine quand le Vif d'or a été attrapé par un des attrapeurs.

Harry excelle dans ce sport. Il montre également de très bonnes dispositions en tant qu'apprenti sorcier. Mais il est aussi prompt à enfreindre les lois du collège quand il s'agit de découvrir la vérité cachée sous l'énigme centrale qui constitue la trame narrative du premier ouvrage : un objet magique a disparu et Harry va tenter de le retrouver. Cet objet n'est autre que la pierre philosophale des alchimistes, censée transformer le plomb en or et donner la vie éternelle à qui la possède. Après moult péripéties, Harry finit par retrouver cette pierre alors qu'un autre protagoniste cherche à se la procurer, Quirrell, dont on comprend à la fin de l'ouvrage qu'il n'est qu'une forme prise par l'ennemi mortel de Harry, Lord Voldemort. La scène de l'affrontement final est l'occasion d'apprendre que la mère de Harry est morte en essayant de protéger son fils après que son mari a été tué par Voldemort. La survie de Harry est donc due au sacrifice de sa mère.

Après ces aventures contées dans le premier tome et s'achevant à la fin de l'année scolaire, Harry rentre dans sa famille d'accueil où il passe un été déprimant, victime de la bêtise des Dursley, guettant désespérément la rentrée au collège des sorciers.

Harry Potter et la chambre des secrets

Le second tome, Harry Potter et la chambre des secrets, débute par un mystérieux avertissement lancé à Harry par l'elfe Dobby. Un complot est fomenté contre lui, visant à le faire disparaître s'il revient à Poudlard pour la rentrée scolaire. Après avoir, malgré lui, transgressé la règle interdisant aux jeunes apprentis sorciers l'usage de la magie chez les Moldus, Harry va se réfugier chez les parents de son ami Ron. Il y découvre ce que peut être le bonheur de vivre dans une famille de sorciers, auprès de parents bons et compréhensifs bien que pauvres.

Malgré les tentatives de Dobby, Harry revient à Poudlard où il entame une année scolaire ponctuée de maintes péripéties, dont l'enlèvement de Ginny, la sœur de Ron. Des phénomènes étranges s'abattent également sur les élèves, mystérieusement pétrifiés. Harry commence à ce moment-là à entendre d'inquiétantes voix intérieures. Il découvre une inscription énigmatique signalant l'ouverture intempestive d'une chambre des secrets. Le message contient une menace pour les ennemis de l'Héritier sans que l'on sache très précisément à qui cette menace s'adresse. L'Héritier n'est autre que Lord Voldemort qui a pris l'apparence de Jedusor. Harry devra à nouveau le combattre après avoir vaincu le gigantesque serpent Basilic dont le regard pétrifie ceux qui ont le malheur de le croiser. Harry est accompagné dans ce duel par un phénix qui crèvera les yeux du Basilic le privant ainsi de son pouvoir. L'ouvrage se termine par la libération de l'elfe annonciateur, Dobby, capturé par un ennemi de Harry, puis par le retour de ce dernier chez les Dursley pour de tristes vacances d'été.

Harry Potter et le prisonnier d'Azkaban

Suivant le même procédé narratif, le troisième ouvrage commence après les mois d'été passés dans l'épouvantable famille Moldu. Comme dans le second tome, Harry transgresse la règle interdisant l'usage de la magie : il se venge de l'humiliation subie dans le monde des Moldus en métamorphosant une méchante tante. Paniqué par cette nouvelle transgression, Harry s'enfuit de la maison et, après avoir erré quelque temps, est recueilli dans un Magicobus par les sorciers qui ne l'ont pas reconnu.

Il y apprend par hasard qu'un sorcier assassin, Sirius Black, vient de s'échapper de la forteresse d'Azkaban et cherche à le tuer. À sa grande surprise, la direction du collège va favoriser son retour et ne lui tient pas grief de sa transgression. La direction cherche en fait à le protéger des mauvais coups de Sirius Black. Harry reprend le train pour Poudlard et rencontre lors du voyage un des détraqueurs (gardien de la forteresse) envoyés à la recherche de Sirius Black. Lors de cette rencontre dans le compartiment du train, Harry vit une intense expérience d'angoisse qui lui laissera une durable appréhension de ces personnages.

> **Solange, 11 ans** - « Les détraqueurs, c'est les gardiens d'Azkaban, ils aspirent l'âme. Tu peux pas sortir vivant de cette prison. On y met les serviteurs de Voldemort, les Mangemorts. Ils ont un tampon sur le bras. Voldemort leur fait brûler la marque pour les appeler. »

Après quelques aventures rocambolesques et d'étonnantes rencontres, comme celle de l'épouvantard qui prend la forme du cauchemar le plus terrifiant de chacun, et la disparition du compagnon de Ron, le rat Croûtard, qui s'avère être l'incarnation d'un suppôt de Lord Voldemort, l'ouvrage s'achève sur un renversement radical : Sirius Black, le soi-disant criminel recherché par les sorciers et les Moldus, est en fait le parrain de Harry. Lié par une ancienne promesse faite au père de Harry, il cherche en fait à le protéger de Lord Voldemort. Entre temps, Harry aura appris plusieurs faits d'importance capitale sur la vie de ses parents et sur le drame qui leur a coûté la vie.

À Poudlard, le père de Harry, James Potter, était un élève intelligent et apprécié de ses professeurs. Tout comme Harry, il faisait cependant beaucoup de bêtises, notamment à l'encontre de son principal rival, Severus Rogue. Il était amoureux d'une autre élève de Poudlard, Lily, et avait une bande d'amis, Sirius Black, Remus Lupin et Peter Pettigrow. Au bout de sa quatrième année à Gryffondor, James découvre que l'un de ses meilleurs amis est en fait un loup-garou. Pour l'aider à surmonter cette épreuve, lui et trois de ses amis décident de devenir des Animagi (sorciers pouvant se transformer en animaux). Ils y parviendront à force de courage, d'acharnement et d'amitié. Le jeune Potter avait, lui, la capacité de se transformer en cerf, d'où son surnom, Cornedrue. Il se mariera avec Lily. Ils auront un enfant et vivront heureux jusqu'à l'arrivée de Voldemort. Celui-ci les traquera jusqu'au jour terrible où il détruira leur maison de Godric's Hollow et où ils trouveront la mort. L'ouvrage se termine par le dénouement de l'intrigue principale concernant l'identité de Sirius Black ainsi que des nombreuses intrigues annexes. Harry quitte alors le monde des sorciers pour passer un nouvel été dans le monde des Moldus.

Harry Potter et la coupe de feu

Le quatrième tome est un ouvrage nettement plus volumineux que les précédents. Très touffu, fourmillant d'aventures secondaires et de rebondissements, il est également construit sur le mode d'une intrigue puis d'un dénouement lors d'un duel. En marge de l'intrigue principale, Harry débute également une éducation sentimentale en tombant amoureux d'une jeune collégienne de Poudlard.

Dans le premier chapitre, Franck Bryce, le jardinier des Jedusor mystérieusement assassinés, apprend incidemment que Lord Voldemort cherche encore à éliminer Harry. Découvert, il est aussitôt assassiné. Au moment du meurtre, à distance du lieu du drame, Harry est brusquement réveillé par une douleur aiguë au niveau de sa cicatrice. Il vient de vivre en rêve la scène du meurtre et la douleur sur son front évoque la présence de Voldemort. Le récit reprend ensuite un tour plus habituel avec la description de la fin de l'été chez les Dursley, la préparation de la rentrée pour Poudlard, et la rencontre entre les Dursley et les Weasley, la famille de Ron et d'Hermione, nouvelle occasion de faire un peu de magie transgressive chez les Moldus.

Après un match mouvementé de Quidditch entre les différentes nations de sorciers, Harry voit la marque des ténèbres, sous la forme d'une gigantesque tête de mort s'élevant au-dessus des arbres au cœur d'une fumée verte. La vie continue avec la préparation du tournoi des écoles de sorcellerie, la coupe de feu, comportant une série de trois épreuves. Un sorcier représentera chaque école. Harry ne peut y participer car il n'a pas atteint l'âge limite. Quelqu'un a pourtant mis son nom dans la coupe d'où sont tirés les noms des joueurs. Trois épreuves départagent les concurrents. Harry, sélectionné lors des deux premières épreuves, se retrouve à égalité avec l'autre champion de Poudlard. La troisième épreuve consiste à sortir d'un labyrinthe. Après bien des péripéties, Harry atteint le trophée en même temps que son rival, Cédric. Alors qu'ils le saisissent ensemble, le trophée les envoie directement chez Voldemort qui tue Cédric. La désignation de Harry au concours de magie n'était en fait qu'un piège destiné à mettre Harry en contact avec Lord Voldemort. La fin du récit est marquée par la renaissance de Lord Voldemort qui va se réincarner sous les yeux horrifiés de Harry et par la révélation de l'histoire du seigneur des ténèbres.

Lord Voldemort est le fils d'une sorcière qui a aimé un Moldu qui n'appréciait pas la magie. Il l'a quitté avant la naissance de l'enfant. Sa mère est morte en donnant le jour à Voldemort élevé ensuite dans un orphelinat Moldu.

> « Harry Potter, tu te tiens sur les restes de mon père, dit-il d'une voix sifflante. C'était un Moldu et un imbécile... très semblable à ta chère mère. Mais tous deux ont eu leur utilité, n'est-ce pas ? Ta mère est morte pour te protéger quand tu étais enfant... et moi j'ai tué mon père.

Mais regarde comme il m'a été utile dans la mort. » (Tome IV, p. 575.)

« Le seigneur des ténèbres et moi avons beaucoup de choses en commun, reprit-il. Nous avons été tous les deux déçus par nos pères... très déçus. Et nous avons tous les deux subi le déshonneur de recevoir le même nom que ce père détesté. Mais nous avons aussi eu tous les deux le plaisir... le plaisir de tuer nos pères pour assurer l'ascension durable de l'Ordre des Ténèbres ! » (Tome V, p. 604.)

Devenu adulte, il a cherché à se venger de son père, qui n'est autre que Tom Jedusor, assassiné dans le premier chapitre. Le livre se termine sur un duel entre Lord Voldemort et Harry. Lors du duel, Harry voit son père et sa mère sortir de sa baguette magique. Ce combat singulier se double par ailleurs d'un autre duel contre Maugrey, avatar de Voldemort. L'ouvrage s'achève avec la fin de la période scolaire, le début des vacances d'été et l'inévitable retour chez les Moldus, dans l'attente de la rentrée prochaine... et du prochain ouvrage de J.K. Rowling.

III

Un style hyperactif

Louise, 11 ans – « Quand on lit Harry Potter, on ne peut plus s'arrêter. »

Un résumé aussi bref ne rend pas justice à la richesse du récit de Rowling et à la profusion des aventures de Harry et de ses amis. Il permet en revanche de comprendre la trame narrative globale de l'histoire sur laquelle se grefferont des intrigues secondaires, ayant généralement la dimension d'un chapitre assez court. Trois dynamiques différentes de récit sont enchâssées dans l'œuvre et lui donnent un rythme très spécifique. Une première dynamique de grande ampleur court sous les quatre ouvrages déjà parus. C'est celle de la vie même de Harry Potter et de son initiation dans le monde des sorciers telle que je l'ai résumée. La seconde dynamique est à l'échelle de chacun des tomes et correspond à une énigme spécifique avec son cortège d'indices, de déduction et d'aventures. Généralement cette énigme centrale est résolue vers la fin de chaque livre après une segmentation en de très nombreux chapitres, chacun présentant une unité d'action. Plus spécifique du style de J.K. Rowling, la troisième dynamique est une dynamique courte et rapide à l'échelle de quelques phrases.

Lorsqu'on ouvre pour la première fois un tome des aventures de *Harry Potter*, on est en effet frappé par le rythme très rapide du récit. Toute l'œuvre de J.K. Rowling semble être écrite dans le souci constant de tenir en haleine le lecteur par une succession ininterrompue d'actions et de péripéties. Le style d'écriture de J.K. Rowling présente aussi des particularités remarquables qui expliquent comment cet intérêt et cette attention sont constamment activés. Le procédé consiste en l'assemblage de petites séquences textuelles, ouvertes généralement par une phrase descriptive du lieu et du temps. Puis survient un court dialogue entre les protagonistes – parfois ce dialogue peut être remplacé par un bref descriptif de l'état mental intérieur de Harry ou d'un de ses acolytes – puis on trouve une ou deux phrases de transition, puis la première phrase descriptive d'une nouvelle séquence ; ainsi de suite tout au long des ouvrages.

> **Simon, 11 ans** - « Harry Potter, c'est bon, ça va vite. Y a de l'action. »

Ce processus est soumis à de nombreuses variations locales et, dans certains cas, il peut être remplacé par des énoncés d'un style plus conventionnel. Sa généralisation témoigne néanmoins de la systématisation d'un procédé stylistique. Celui-ci permet de maintenir l'attention sur l'action en esquissant les contours du contexte dans lequel cette action se situe. C'est là, transposé en littérature, le procédé opératoire du théâtre comme celui des dessins animés. Il centre l'attention sur les interactions entre les personnages et néglige les détails du monde dans lequel ces actions se déroulent. Le fond est ainsi ramené à un simple décor.

Pauline, 8 ans et demi - « Je pense que tout le monde peut lire ce livre. Je trouve que c'est un style d'écriture très facile à comprendre. Il y a beaucoup de dialogues et j'adore ça. J'imagine que c'est comme un texte de théâtre et moi j'adore le théâtre. J'aime surtout beaucoup parler. »

Tout se passe comme si J.K. Rowling avait choisi de fixer le cadre général du récit, sur le plan temporel (avec la durée de l'année scolaire) et sur le plan spatial (avec quelques lieux bien identifiés et stables), de façon à ne faire varier que les séquences des événements. Ce procédé présente un net avantage sur le plan des opérations de pensée se déroulant dans l'esprit du jeune lecteur. En effet, il n'est pas obligé de porter son évocation mentale à la fois sur la variation du cadre et sur l'action des personnages puisque seule cette dimension d'action est réellement changeante.

Bien sûr, ce contraste entre cadre et action existe dans tout récit. Cependant dans l'œuvre de Rowling, il est poussé à son paroxysme. L'abondance extrême des dialogues entre les personnages est inscrite dans le même procédé. Parler est une autre façon d'agir à l'intérieur de séquences courtes organisées généralement autour d'une situation simple. Les dialogues permettent un effet de réalité et relancent l'attention du lecteur en précipitant son identification aux personnages.

Voici un court exemple des très nombreux dialogues présents dans *Harry Potter* :

> « - Oui, dit Ron à voix basse, c'est le seul moyen... Je dois me faire prendre...
> - Non ! s'écrièrent les deux autres.
> - C'est le jeu, répliqua Ron. Il faut savoir faire des sacrifices ! Je vais avancer et elle me prendra, ce qui te permettra de faire échec et mat, Harry.
> - Mais...
> - Tu veux arrêter Rogue, ou pas ?
> - Ron...
> - Si tu ne te dépêches pas, il va s'emparer de la Pierre !
> Il n'y avait rien d'autre à faire. »
> (Tome I, p 212)

Ce style centré sur la dynamique d'action entraîne un certain nombre d'effets stylistiques en particulier sur l'usage banalisé des adjectifs qualificatifs qui sont apposés aux mots d'une façon très conventionnelle.

> « À l'intérieur, il faisait une chaleur **étouffante**. Bien qu'au dehors la température fût **clémente**, un **grand** feu ronflait dans la cheminée. »
> (Tome I, 174)

C'est là justement que l'on peut pointer une particularité propre au style de Rowling et dont on est en droit de penser qu'elle est particulièrement efficace pour maintenir l'attention. Dans *Harry Potter*, l'évocation mentale, c'est-à-dire le flux des pensées générées par la lecture séquentielle du texte, n'est pas appelée par le pouvoir associatif des qualificatifs et des attributs des objets mais principalement par la dynamique d'action.

La nécessité d'une rapide dynamique d'action impose un rythme vif au récit sur le plan de l'énonciation, alternant des dialogues avec de très courtes descriptions, d'autant plus courtes que le cadre général est déjà fixé. Elle est aussi soutenue par des choix judicieux qui ont été effectués dans la construction de l'histoire. Ainsi, l'existence des chouettes et des hiboux messagers entre les sorciers est une idée pratique sur le plan de la dynamique de récit car elle entraîne une diminution des délais de transition entre les actions. Il suffit à un sorcier d'envoyer son hibou messager pour transmettre immédiatement des messages à son destinataire, permettant ainsi une information quasiment en temps réel. Le procédé permet d'éviter des développements narratifs trop longs qui auraient ralenti le rythme.

> **Juliette, 10 ans** - « Et ben, Harry Potter, c'est mystérieux, c'est bien

écrit, parce que c'est bien dit. chaque soir on a envie de le lire. On attend que cela soit le soir pour pouvoir le lire. On est obligé de continuer. C'est les phrases, elles donnent du mystère. Au début du premier, j'ai trouvé ça difficile à lire. J'aime tout, je ne sais pas comment dire. Il y a des rebondissements, ça passe d'un moment à un autre et puis après ça revient. Au début du premier, il y avait un serpent dans un aquarium, Harry le comprend mais il ne le sait pas. C'est que à la fin du second tome qu'on comprend qu'Harry sait parler aux serpents. »

Le succès extraordinaire de *Harry Potter* (en termes d'accès à la lecture d'enfants de toute une génération) montre que le procédé stylistique choisi par J.K. Rowling correspond à une réalité profonde. C'est par l'évocation d'actions que se produisent l'intelligibilité d'un texte et le plaisir à la lecture des enfants d'aujourd'hui. En ce sens, le succès littéraire de *Harry Potter* vient renforcer par une illustration assez convaincante la thèse de la prédominance de la représentation de l'action dans les processus de pensée.

La psychologie contemporaine vit en effet aujourd'hui une sorte de remise en question du primat des représentations du langage sur les processus de pensée. Il semble bien que les procédés les plus profonds de la cognition utilisent des représentations d'actions qui déterminent ensuite les pensées et le comportement. Une des leçons que l'on pourrait tirer du succès de *Harry Potter* auprès de ses jeunes lecteurs, est la prise de conscience que nous sommes en train de vivre une véritable mutation dans l'acquisition et le traitement des connaissances. Les jeunes générations recherchent dans le texte les mêmes opérateurs symboliques qu'ils manipulent dans le monde des images, de la bande dessinée et des jeux vidéo. Ces nouveaux opérateurs symboliques peuvent être maintenant clairement identifiés. Ce sont les différents paramètres descriptifs de l'action, un contexte spatio-temporel servant de toile de fond aux interactions de personnages ; ces personnages sont engagés dans une dynamique aboutissant à la résolution d'une intention préalable d'action ; cette action se conclut par la réalisation finale d'un but. J. K. Rowling a su trouver le style d'écriture capable de générer cette dynamique centrée sur l'action. En dehors de tout jugement de valeur littéraire, il faut convenir que ce style produit une sorte d'effet d'hyperactivité virtuelle. Il capture l'attention du lecteur et le plonge au cœur d'un véritable rêve éveillé.

IV L'identification à Harry

Pauline, 8 ans et demi - « Quand je lis le livre, je me plonge dans son monde ; j'ai l'impression d'être un fantôme qui le suit partout. »

« - Tu vois ce que je suis devenu ? dit le visage. Ombre et vapeur... Je ne prends forme qu'en partageant le corps de quelqu'un d'autre. Heureusement, il en reste toujours qui sont prêts à m'accueillir dans leur cœur et leur tête. »
Tome I, p. 220

Une histoire ne peut susciter un effet efficace d'attraction sur le lecteur que s'il existe une étroite identification entre celui-ci et le héros. Malgré les apparences, cette identification au héros n'est pas anodine dans l'œuvre de J.K. Rowling. Certes Harry est présenté comme un enfant malmené par la vie qu'attend un destin extraordinaire. Sur ce point, le procédé s'apparente à une classique intrigue mélodramatique. Le héros suscite la sympathie par sa détresse.

Pourtant cette identification est étonnante lorsqu'on l'analyse en termes de proximité et d'éloignement. La proximité est évidente par la dimension temporelle. Harry a le même âge que ses lecteurs et il grandit à chaque tome d'une année supplémentaire. Le projet de Rowling est très clair sur ce point. Tous les autres ouvrages en préparation correspondront à des années supplémentaires. Chaque tome évoquera les aventures sur l'équivalent d'une année scolaire, c'est-à-dire entre la rentrée des classes à la fin de l'été et la fin de l'école au début de l'été de l'année suivante. C'est d'ailleurs un coup de génie sur le plan marketing car l'offre s'étend jusqu'à des classes d'âge nouvelles tout en gardant le marché des classes plus jeunes. Les différentes aventures et intrigues sont donc sous-tendues temporellement par le rythme scolaire. Il n'est pas étonnant que les collégiens retrouvent dans la lecture de Harry l'expérience familière d'une durée qui n'est mesurée ni par le calendrier des adultes, ni par la durée des horloges, mais par la répétition annuelle des saisons et des événements scolaires.

La vie du collège de Poudlard est marquée par les mêmes règles intérieures que celle de tout collège. Celles-ci limitent et contraignent le bon vouloir des collégiens. La ressemblance est soulignée aussi au niveau des personnalités des professeurs, diversement appréciés, au niveau des conflits entre les groupes de collégiens et des batailles individuelles de prestance. Des pans entiers de la vie de tout collégien sont ainsi transposés au collège de Poudlard. Il n'est donc pas étonnant que chacun retrouve dans les péripéties de la vie de Harry au collège les événements de sa propre vie. Mais cette familiarité ne prend son plein effet d'attraction que parce qu'elle est aussi transposée justement dans un ailleurs radical, celui de l'imaginaire. Le monde des sorciers, l'espace et le temps, dans lesquels évoluent la multitude, parfois lassante pour le lecteur adulte, des personnages, monstres et objets magiques est un univers totalement autre n'obéissant qu'aux lois de l'imagination de sa créatrice, même s'il s'agit enfin de compte d'un univers qui s'avérera organisé, structuré et porteur de valeurs.

Ce contraste entre proximité et éloignement est l'un des procédés qui contribuent à l'attraction lors de la lecture de *Harry Potter*. Il est à la source de la tonalité humoristique, discrète mais efficace, de l'ensemble de l'ouvrage. Mais il n'est par l'unique ressort de l'ouvrage. Il lui donne son habillage apparent tout en se mettant au service d'une fonction interne : favoriser une identification étroite entre le jeune lecteur et les héros. Héros au pluriel, car Harry, s'il est bien seul face à son destin prédestiné, n'est pas un héros solitaire. Il est pratiquement toujours, sauf dans les duels avec Voldemort, accompagné de ses deux plus proches compagnons : Ron, jeune garçon issu d'une classe sociale défavorisée et Hermione, jeune écolière, bonne élève et que les garçons mettent souvent affectueusement en boîte. Sur ce trio peuvent se projeter sans difficulté les identifications des jeunes lecteurs quels que soient leur sexe ou leur origine sociale. L'appartenance ethnique n'est que rarement mentionnée. Pourtant, d'une certaine manière, l'ensemble du monde construit par J. K. Rowling est composé de groupes sociaux distincts. Ainsi le monde des Moldus et le monde des sorciers sont-ils strictement distincts – bien qu'un fils de Moldus puisse devenir sorcier, mais pas l'inverse – et les différentes appartenances aux groupes internes du collège, décidées par un magistère magique, sont l'occasion d'affrontements lors des matchs de Quidditch. Sur ce point, il est intéressant de remarquer l'injure raciale de Sang de Bourbe. Elle désigne un enfant sorcier né de parents Moldus ou issu d'un métissage entre un parent sorcier et un parent Moldu.

Solange, 11 ans - « En fait, dans Harry, c'est le contraire de la vie, ce sont les sorciers qui sont gentils et les humains méchants. »

C'est donc un monde "social" partagé par des groupes antagonistes. À l'intérieur de chaque groupe l'identification groupale est très forte. Le jeune lecteur retrouve ainsi la problématique de l'identité sociale naissante au début de l'adolescence. Remarquons que l'univers du monde des sorciers est aussi un espace régulé par des lois et décrets émanant d'une autorité centrale qui possède des pouvoirs judiciaires et policiers (les détraqueurs). La transgression de ces lois, comme le réalise Harry pratiquement au début de chaque histoire en utilisant la magie dans le monde ordinaire, est susceptible d'un châtiment dont la finalité semble comprise et acceptée par tous les jeunes apprentis sorciers. Mais c'est aussi un pouvoir judiciaire et policier capable de compréhension et de mansuétude selon les situations et contextes dans lesquels les infractions sont commises. C'est là, sous la plume de Rowling, la description de ce que pourrait être la relation acceptée entre un jeune apprenti "citoyen" et la loi. Sur ce point, *Harry Potter* contribue certainement à une mise en représentation d'un certain type de sociabilité qui reflète une conception particulière de l'ordre social, partagée en groupes antagonistes et auquel l'enfant doit faire en quelque sorte allégeance. Quel que soit l'accord avec cette idéologie sous-jacente, il reste qu'elle correspond bien à la réalité psychologique des processus d'identification de la pré-adolescence.

En conclusion, le procédé majeur favorisant l'identification du jeune lecteur aux héros de la saga de *Harry Potter* est celui de la transposition parallèle des mondes. Que ce soit par l'âge, le sexe (si on tient compte de l'existence d'Hermione), les événements à l'école, ou les rivalités et les luttes de prestance, la vie quotidienne de chaque enfant se trouve transposée dans le monde des sorciers et reste toujours décelable sous le travestissement des figures imaginaires. Par exemple, Harry après avoir transgressé les règles du ministère de la magie en se vengeant par quelques artifices des mauvais coups des Dursley, s'enfuit malheureux et coupable, seul dans la ville. Il est alors ramassé par un Magicobus, volant, qui va le ramener dans le monde des sorciers. Cet épisode met en scène une sorte de ramassage scolaire. Il est probable que les enfants américains y voient un avatar des bus scolaires.

Cette transposition dans l'imaginaire est toujours accompagnée d'un renversement des valeurs. Ainsi dans l'exemple précédent, c'est la maison qui est lieu de souffrance alors que l'école est lieu de renaissance. Le principe de transposition peut être illustré aussi par la première rencontre entre Harry et un Détraqueur. Cette rencontre a lieu alors qu'Harry est dans le train qui mène à Poudlard. Le Détraqueur pénètre dans le compartiment et Harry ressent alors une très forte angoisse. La situation est assez semblable à la rencontre entre un collégien et un contrôleur de train. De nombreux autres traits attestent du rapprochement entre les Détraqueurs et les policiers. C'est une transposition du rapport entre jeunes et policiers, rapport fait de peur et d'anxiété. Bref, tout *Harry Potter* peut se lire selon ce même principe. Ce que vit Harry a été vécu ou va être vécu par le jeune lecteur dans son propre monde. Le procédé est remarquablement efficace. Cette transposition parallèle, et les différents travestissements qu'elle permet, créent un monde à la fois lointain et proche où l'enfant peut être à la fois lui-même et un autre.

V Un schéma narratif efficace

« Ainsi finit le célèbre Harry Potter, dit la voix lointaine de Jedusor. Seul dans la Chambre des Secrets, oublié par ses amis, et enfin terrassé par le Seigneur des Ténèbres qu'il avait si sottement défié. Bientôt, tu auras rejoint ta chère mère au Sang-de-bourbe, Harry... Elle t'aura permis de vivre douze ans... Mais Lord Voldemort a fini par te vaincre, comme il se devait. »
Tome II, p. 258.

L a dynamique d'actions dominant l'œuvre de J.K. Rowling et l'identification à Harry ne suffisent pas à expliquer son succès ni l'attraction de millions de jeunes lecteurs. Pour pouvoir en rendre compte, il faut aussi décrire les choix opérés par Rowling dans la construction de l'histoire de Harry et dégager les raisons de leur efficacité. Comme je l'ai montré dans mon premier chapitre résumant l'histoire de Harry, chaque tome correspond à une année scolaire. Le récit est alors bâti à peu près sur le même canevas temporel : fin des vacances d'été dans le monde des Moldus, exposé de l'intrigue, départ pour Poudlard, intrigue, dénouement, retour dans le monde des Moldus. L'absence de variations du cadre répond à une nécessité de mise en relief de la dynamique d'action, mais elle est aussi liée à l'installation d'un schéma standard sous-jacent à l'ensemble de l'œuvre et qui va déterminer les lignes de force du récit.

Avant de décrire ce schéma sous-jacent à l'histoire de Harry Potter, il est bon de se familiariser avec le concept de schéma narratif. Spontanément, nous pouvons distinguer dans toute histoire que nous lisons ou que nous écoutons un début, un développement et une fin. Nous pouvons aussi parfois repérer d'autres éléments plus fins comme les fonctions attribuées aux différents protagonistes de l'histoire ou des significations symboliques associées aux différents lieux. Mais généralement, le déroulement linéaire du texte nous entraîne dans une dimension unique, celle de la compréhension de l'histoire. Nous avons alors des difficultés à accepter l'idée qu'elle puisse être produite par un schéma unique.

Pourtant les travaux des spécialistes de l'analyse des textes littéraires ont abouti à une découverte importante. Tout texte peut être décrit comme la production d'une sorte d'entité cachée, sous-jacente mais non explicite, que l'on nomme une structure narrative. De façon remarquable, cette structure possède des propriétés « génératives », c'est-à-dire qu'elle produit des éléments de récit qui, mis bout à bout, constituent l'ensemble d'une histoire.

En bref, cette structure narrative a globalement la forme d'un carré tiré entre quatre pôles suivant la disposition représentée à la figure 1. Le premier pôle correspond à une situation initiale. Généralement, c'est une situation d'équilibre et de paix. Dans nombre de mythes, cette position figure l'état de culture par opposition à l'état de nature. Cette situation subit ensuite une transformation radicale qui la déséquilibre, qu'il s'agisse d'une privation ou d'une attaque émanant de la position antagoniste. Dans les contes de fée, cet événement initial, traumatique, est souvent celui de l'enlèvement de la princesse que le héros va ensuite devoir délivrer du ravisseur. Le rétablissement de la situation d'équilibre impose la constitution d'un héros. Présenté souvent comme pauvre et faible, il quitte seul la position initiale. Il subit ensuite souvent des épreuves qualifiantes et s'adjoint l'aide de personnages ou d'objets. À un moment donné, il franchit une frontière géographique pour arriver dans un espace inconnu et inquiétant. Il affronte alors l'antihéros émis par le pouvoir antagoniste et qui est présenté sous la forme d'un monstre ou d'un personnage aux pouvoirs redoutables. Lors d'un combat singulier, il le vainc souvent à l'aide d'un adjuvant conquis lors d'une épreuve qualifiante. Il s'en suit la défaite du pouvoir antagoniste et le rétablissement de la situation antérieure d'équilibre. Par exemple, dans les contes de fée, le héros revient au château avec la princesse, se marie, monte sur le trône et a beaucoup d'enfants...

Cette structure est simple et ne semble guère convenir à la restitution de l'ensemble prodigieux des récits écrits par l'humanité. Un esprit critique pourrait aisément l'assimiler à une sorte de gadget technique dont l'efficacité apparente ne serait que le reflet de sa grossièreté. En fait, pour des raisons de clarté, cette structure est présentée sous une forme anthropomorphe. Elle correspond à une dynamique interactive entre des sortes d'archétypes sous-jacents aux représentations mentales et permettant l'intelligibilité d'un récit par l'esprit humain. L'origine de cette structure reste bien mystérieuse. Sans entrer dans les détails des théories explicatives, on a le choix entre trois hypothèses, ne s'excluant pas les unes les autres. Cette structure peut être simplement un mode de production linguistique induit par les contraintes de l'expression. On est alors en présence d'une structure appartenant au registre de la langue. On comprend cependant mal pourquoi les positions sont valorisées (axiologisées dans le jargon sémiotique) en termes positifs (le héros muni de bonnes qualités) et en termes négatifs (l'antihéros, les forces du mal).

Situation initiale Instance positive « Château du Roi » (état de culture) ↓ B	← A	Force opposée Instance négative « Frère déchu jaloux » Forces du mal (état de nature) D ↑
Constitution du héros. Début d'un parcours initiatique comportant des épreuves qualifiantes.	C →	Affrontement avec le représentant de l'instance négative. Victoire

Harry et ses vrais parents. Forces du bien ↓ B	← A	Lord Voldemort Seigneur des ténèbres Forces du mal D ↑
Harry en initiation à Poudlard. Épreuves qualifiantes	C →	Serpent Basilic Duel Affrontement Forêt interdite

Figure 1 – Ce schéma représente la structure générale des récits (au-dessus) et son application aux aventures de Harry Potter (en dessous). En **A** : action de la part de l'antihéros déstabilisant l'équilibre initial. En **B** : le héros est constitué et entame la parcours qualifiant. Il passe en **C** dans le monde opposé (généralement par le franchissement d'une discontinuité

topographique) et vainc l'antihéros (D). Se produit ensuite le retour à l'état initial. Pour plus d'informations, se reporter en bibliographie aux références aux travaux de Greimas et Petitot.

On peut aussi considérer cette structure comme une figuration des conflits entre des représentations inconscientes. En dessous de tout récit de surface, se retrouverait alors, après maintes dérivations et substitutions, la lutte entre les bons et les mauvais objets telle que l'a décrite la psychanalyste Mélanie Klein. D'autres auteurs ont essayé de lier l'existence de cette structure avec des modalités biologiques profondes héritées au fil de l'évolution des espèces. Et il est vrai que cette structure peut être assimilée à une sorte de processus global de prédation existant dans le règne animal.

En tout cas, le récit de *Harry Potter* est très proche de cette structure générative et ceci à tous les niveaux de l'œuvre. Si on analyse l'histoire globale de Harry, on trouve en effet aisément les éléments de cette structure. La situation initiale correspond à la cellule familiale de Harry avec ses deux parents. La catastrophe de déstabilisation est celle de l'agression initiale par Voldemort. Harry devient ensuite le héros de l'histoire. Il s'adjoint des auxiliaires (Ron et Hermione), subit des épreuves qualifiantes (l'apprentissage de la magie), franchit les frontières et pénètre des espaces interdits (la forêt interdite) et finit par combattre en duel l'antihéros (Voldemort).

Cette même structure existe aussi à l'échelle de chacun des tomes. Ainsi, la situation initiale correspond-elle au début de l'année scolaire. Se produit alors une déstabilisation émanant de Lord Voldemort (un signe néfaste, l'annonce que Sirius Black veut tuer Harry, etc.), ensuite Harry part à Poudlard, vit des aventures diverses mais qui se terminent toutes par un combat singulier avec un avatar de Lord Voldemort, puis par la victoire de Harry et le retour à la situation initiale (à ceci près qu'Harry a un an de plus et a acquis de nouvelles connaissances et compétences). Si l'on considère que ce carré sémiotique correspond bien à une forme profonde de l'esprit alors il est compréhensible que le récit de *Harry Potter*, qui colle de façon très étroite à ce canevas, puisse susciter une forte attraction chez les jeunes lecteurs.

> **Simon, 11 ans** - « J'ai fait des rêves éveillés. J'étais en train de lire et quand j'ai levé la tête, j'étais encore dedans. »

> **Juliette, 10 ans** - « Une fois, j'ai fait un rêve, alors au début ça n'avait aucun rapport avec Harry Potter, et puis à un moment je m'étais retrouvée en prison avec un copain et à un moment on voulait s'échapper de la prison et puis on a demandé à Harry Potter qu'il nous prête sa cape

d'invisibilité et on lui a demandé parce que j'avais le livre avec moi et il nous l'a prêtée et après il nous avait dit qu'il ne faut surtout pas qu'on la perde et que beaucoup d'autres enfants à qui il l'avait prêtée l'ont perdue et que nous on aurait une récompense si jamais on ne la perdait pas. Ensuite il nous a donné une baguette magique et puis alors on s'est retrouvé au ski et c'était super bien parce qu'on était dans les télésièges et on avait une table et on pouvait jouer aux cartes... Et ce rêve chaque nuit, je le continuais... deux ou trois nuits avec la baguette. Le soir, je voulais continuer le rêve. »

Le procédé narratif sous-jacent à l'écriture de *Harry Potter* peut être éclairé utilement lorsqu'on le met en perspective avec un autre vecteur culturel qui rencontre un fort engouement chez les jeunes. Il existe en effet une étonnante communauté d'appartenance entre la facture stylistique de *Harry Potter* et celle des jeux vidéo. Il est d'ailleurs significatif qu'un des premiers produits dérivés soit un jeu vidéo qui devrait sortir prochainement. Il existe aussi un projet de film puisque la Warner a acquis les droits et qu'un cinéaste américain, Chris Colombus, a commencé le tournage d'un film adapté du premier tome des aventures de Harry Potter. On sait par ailleurs que le personnage de Lord Voldemort sera entièrement numérique et donc réalisé en images de synthèse. Bien sûr, les jeux vidéo possèdent une qualité d'interactivité que ne possède pas un livre. Pourtant, comme je vais tâcher de le montrer, il existe une proximité plus grande entre les livres de Rowling et les jeux vidéo qu'entre ces mêmes livres et n'importe quel autre ouvrage de littérature pour enfants.

La plupart des enfants sont vivement attirés par l'usage des ordinateurs et éprouvent du plaisir à leur manipulation. Pour comprendre l'origine de ce plaisir, il est utile d'avoir recours à une notion issue de la psychologie contemporaine, celle de "style cognitif". Cette notion désigne un ensemble d'aptitudes mentales, innées ou acquises, utilisées par un sujet pour appréhender le monde. Deux grands styles sont représentés avec une proportion variable chez tous les sujets. Le premier traite l'information de façon plutôt "séquentielle", les éléments d'information étant pris les uns après les autres. Le sens global n'émerge qu'après la saisie de l'ensemble des informations. Ce style "cognitif" nécessite d'importantes capacités d'attention et d'inhibition des impulsions motrices. Le second style, dit "simultané", privilégie les aspects spatiaux, le sens des relations entre les différentes parties de l'objet, les rapports de proportion et la signification immédiate liée aux actions. Ce style nécessite des ressources moins importantes sur le plan de l'attention. Il entretient un rapport privilégié avec le monde des images.

Ce style "simultané" est fortement exploité dans les interfaces informatiques. Il s'oppose au style séquentiel largement valorisé et mis à contribution pour les acquisitions scolaires. L'enfant trouve donc dans l'usage de l'ordinateur l'occasion d'exprimer des compétences qui, pour des raisons essentiellement culturelles, sont majoritairement dévalorisées à l'école. L'utilisation de ce style simultané est poussée à l'extrême dans les jeux vidéo car la condensation dans le temps de la pensée et de l'acte est maximale. L'enfant peut en effet carrément agir à l'intérieur de mondes virtuels. Les jeux vidéo mettent en scène des mondes dans lesquels évoluent, sous la commande motrice du joueur, des objets mobiles sur lesquels celui-ci se projette par identification. Ensuite, ces objets rencontrent des situations diverses. Le joueur, au travers de l'objet mobile qui le représente, peut alors réaliser des actions, modifier des situations (etc.) au sein d'un scénario. Certains jeux, en particulier les jeux d'arcade ou les simulateurs, en restent à ce niveau mais d'autres jeux plus évolués (Tomb Raider, Heart of Darkness...) proposent des scénarios complexes mettant en scène plusieurs personnages, des situations évolutives dans le temps, des énigmes à résoudre.

Ces scénarios tendent à réaliser la trame narrative assez standardisée que l'on peut résumer de la façon suivante. Au début, le sujet vit une expérience de plaisir et de quiétude. Survient alors une catastrophe rompant cet état et s'ensuit la naissance d'une nécessité d'action pour rétablir l'équilibre initial. Le sujet projette le rétablissement de la phase antérieure. Il se déplace dans un monde délimité par une discontinuité fondamentale entre une partie de monde rassurante, et dans laquelle le sujet est en sécurité, et une partie de monde angoissante et inconnue où le sujet pénètre néanmoins. Muni de ressources qu'il acquiert directement ou au prix d'épreuves qualifiantes, il arrive au cœur du monde étranger. Il y affronte les forces ennemies, matérialisées généralement par des monstres. Il gagne le combat grâce à un objet représentant la puissance (armes, pouvoirs, etc.), sort vainqueur du duel et rétablit la situation initiale. La présence fréquente de cette trame narrative dans les jeux vidéo s'explique par sa prégnance dans l'imaginaire et ses correspondances avec les représentations inconscientes. En s'identifiant au héros du jeu, l'enfant réalise un parcours symbolique dont la fonction première est le dégagement de son autonomie et de son individualité. En réussissant ce parcours, il vainc les monstres et les puissances mauvaises représentant les objets angoissants de son monde intérieur. La thématique violente de nombreux jeux informatiques est ainsi à la mesure de la puissance de l'agressivité existant chez tout enfant. D'une certaine façon, et mis à part les jeux pervers exploitant abusivement ce filon, ce type de jeux contribue à l'élaboration de l'agressivité en la liant à des contenus imaginaires proposés par le jeu et donc partagés collectivement. Le plaisir du jeu informatique se comprend alors parce qu'il satisfait des pulsions inconscientes et parce que, dans le même temps, il rassure en maîtrisant ces pulsions. On voit aussi que les scénarios des jeux vidéo sont très proches de la structure narrative précédemment décrite.

Les procédés stylistiques empruntés par J.K. Rowling pour maintenir l'attention du lecteur empruntent exactement les mêmes voies que ces jeux vidéo. Sur le plan formel d'abord, avec la rapidité du récit où les actions doivent s'enchaîner les unes derrière les autres, sans temps mort ni digressions. De même, le fond d'écran représentant le décor reste stable ou ne se modifie que par des changements de tableaux globaux. En revanche, les personnages évoluent dans ce décor et interagissent dans une succession ininterrompue de schémas d'actions. C'est pourquoi la géographie imaginaire dans laquelle évolue Harry est simplifiée à l'extrême. Les différents lieux de ce monde sont en fait des positions fonctionnelles à l'intérieur d'un espace narratif. Ces positions sont appariées en doublets antagonistes. La maison des Vernon s'oppose au collège Poudlard. Cette opposition représente l'opposition entre le monde des Moldus et le monde des sorciers. Cette même opposition se double de l'opposition entre la maison des parents de Ron et son antithèse, la maison

Vernon. Mais à l'intérieur même du monde des sorciers, on retrouve encore un système d'opposition binaire entre le Pré-au-Lard, lieu de tous les délices alimentaires des jeunes sorciers, et la forêt interdite, lieu de tous les maléfices des forces du mal. Le chemin de traverse permet la transition entre les différentes parties d'un monde clivé entre des positions opposées. Ces dernières représentent en fait des fonctions antagonistes dans le récit. La dualité des forces est un trait marqué de l'univers de *Harry Potter*. Celui-ci est constamment divisé en parties opposées constamment en conflit ; violent et mortel lorsqu'il oppose Harry à Lord Voldemort ; amical lorsqu'il s'agit d'un match de Quidditch entre les maisons de Poudlard ; tendu et suspicieux lorsqu'il oppose les Moldus aux sorciers.

Il s'agit toujours là d'une partition du monde. Elle ne peut qu'être l'objet d'une médiation (à travers le parcours du héros entre les parties antagonistes) ou d'une compétition. On aurait tort de ne voir dans cette bipartition du monde qu'une caractéristique accessoire ou un procédé pratique facilitant la narration.

La puissance attractive de *Harry Potter* sur l'imaginaire des jeunes lecteurs tient à la faible distance qui sépare d'une part le contenu du récit et d'autre part sa structure sous-jacente. Cette même analyse peut expliquer la profusion des personnages (résultante de la concentration sur l'action) qui, de façon très étonnante, ne gêne que modérément les enfants alors qu'elle rebute des adultes. Mieux vaut créer un nouveau personnage ou un nouvel objet doué d'une intention d'action spécifique plutôt que de compliquer un personnage déjà existant en le dotant d'intentions multiples éventuellement contradictoires. Ceci aboutirait à des développements supposés ennuyeux et ralentirait l'action. Ce parti pris centré sur la simplification du cadre, sur la négation de l'intériorité des personnages au profit exclusif de la dynamique d'action ne doit pas être mesuré à l'aune des valeurs pédagogiques ou des bonnes formes littéraires. Il est en réalité le résultat d'un choix stylistique intentionnellement orienté vers le rapprochement de la structure générative[1].

Cela n'est pas sans conséquence sur l'attraction des jeunes lecteurs. Ce choix est en phase avec l'évolution générale des modes de communication actuels qui privilégient la condensation simultanée de l'information sur la complication du discours. Cela n'est pas contradictoire avec la taille des ouvrages de *Harry Potter* qui va d'ailleurs croissante. Il est possible de retenir l'attention du lecteur et donc de le faire lire même des textes consistants, si le texte produit chez lui une évocation mentale constante en harmonie

---

[1] En empruntant à la linguistique des termes techniques, on peut dire que dans le style narratif de J.K. Rowling, l'axe paradigmatique – celui de l'opposition simultanée des positions archétypiques à l'intérieur d'un discours – est nettement dominant sur l'axe syntagmatique – production linéaire des éléments de récit.

avec le style de pensée du lecteur. C'est là toute la magie du style de J.K. Rowling qui a su écrire en tenant compte des grandes contraintes de productivité du sens, c'est-à-dire en se rapprochant des grandes oppositions archétypiques de tout récit. Il est tout aussi remarquable que ce mouvement littéraire soit en phase avec l'évolution des supports vers le multimédia, les jeux vidéo, et les mondes virtuels. En ce sens, l'engouement des enfants pour *Harry Potter*, comme pour les jeux vidéo, témoigne d'un même phénomène d'anticipation sur les modes futurs de représentation et de transmission des connaissances. Les enfants et pré-adolescents montrent une intuition précoce sur la réalité future de la société de l'information que, malheureusement, nous, adultes, ne pouvons encore que très difficilement entrevoir.

VI La toute-puissance de la magie

Maud, 12 ans - « J'ai eu des frissons en imaginant le Basilic (énorme serpent contrôlé par Voldemort), mais je n'ai jamais fait de cauchemars, en revanche j'ai fait des rêves où j'étais avec Harry, Ron et Hermione. »

Simon, 11 ans - « Avec les sortilèges d'amnésie, tu peux commander les cerveaux des autres. »

Harry est un sorcier en apprentissage et une grande partie de ses activités consiste à apprendre les tours de magie et à maîtriser des pouvoirs surnaturels. Même s'il s'agit souvent d'un pastiche des enseignements que tout collégien reçoit dans sa propre vie, l'enseignement à Poudlard délivre une sorte d'initiation à la maîtrise de pouvoirs occultes. La magie est donc omniprésente dans le monde de Harry. Elle peut être apparemment mièvre et amusante lorsqu'il s'agit de bonbons magiques, mais elle est peut-être en fait beaucoup plus noire qu'il n'y paraît. Dans le quatrième tome, elle devient d'ailleurs nettement plus morbide, comme lors de la reconstitution du corps de Lord Voldemort dans un cimetière. S'agit-il alors vraiment de la même magie et quelle est sa fonction ?

> **Julia, 12 ans -** « Moi, le moment où j'ai eu le plus peur, c'est quand Voldemort, il se réincarne dans sa forme. Ça, ça donne des frissons. D'abord, il lui coupe le bras pour avoir du sang, il coupe la main de son serviteur c'est dégoûtant. Après, ils combattent avec Harry et quand ils ont tous les deux la même baguette, elles ne peuvent pas se combattre entre elles et tous les morts sortent de la baguette. »

Solange, 11 ans - « Ça, ça m'a fait un choc. »

Louise, 11 ans - « C'est le moment où j'ai eu le plus peur, non, c'est pas de la peur, c'est un choc, c'est de l'angoisse pour Harry, oui, c'est ça, c'est de l'angoisse pour Harry. »

Si l'on essaye de caractériser les différentes dimensions de la magie dans l'œuvre de J.K. Rowling, on peut d'abord distinguer une première forme de magie, recourant à des objets. Les objets magiques sont extrêmement nombreux (balais pour se déplacer, objets magiques dotés de pouvoirs, lettres beuglantes). Pour la plupart ces objets n'ont pas des fonctions très importantes sur le plan du thème de l'histoire. Il s'agit plutôt d'objets qui permettent de faciliter la narration en ne s'embarrassant pas de contraintes matérielles réelles tout en donnant une tonalité étrange et souvent amusante.

D'autres objets sont dotés de pouvoirs, d'un tout autre type, tel le miroir permettant de revoir le passé ou de réaliser ses désirs les plus chers. Ils présentent ainsi une fonction symbolique particulière, celle de la réalisation des fantasmes. Sur ce plan, l'utilisation de la magie chez J.K. Rowling répond à une sorte de systématisation de la toute-puissance des désirs. La magie permet la réalisation immédiate de souhaits qui sont impossibles à réaliser dans le monde réel. Se déplacer dans les airs, transformer les objets inanimés en objets animés, lire dans les pensées des autres, voyager dans le temps, faire vivre les morts, tous ces actes impossibles à accomplir dans le monde ordinaire sont rendus possibles par la magie du monde des sorciers, plaçant ainsi dans l'ordre du possible la toute-puissance infantile des désirs.

> **Delphine, 12 ans** - « L'objet magique que je préfère c'est la cape d'invisibilité parce qu'on peut aller partout sans se faire voir, sauf par un vieux professeur – je me rappelle plus son nom - qui voit à travers les capes d'invisibilité. »

> **Solange, 11 ans** - « Moi, c'est la baguette magique que j'aime. Parce que je pourrais envoyer plein de sorts sur les gens pas gentils, je pourrais leur envoyer des sorts. Mais c'est pas bien parce qu'on peut envoyer des sorts à des personnes qui n'ont rien fait. »

Sur un plan psychologique, la prolifération des objets magiques est certes un argument de plus en faveur de la thèse connue que l'animisme enfantin, c'est-à-dire l'attribution de pouvoirs factuels aux objets inanimés perdure bien au-delà de l'âge de 7 ans, dit de raison, où l'enfant ferait preuve d'une pensée réaliste.

L'animisme est puissant et on peut le considérer comme une forme très prégnante de l'esprit humain qui rejaillit d'ailleurs dans les jeux de mots des adultes, dans les plaisanteries et même dans le langage courant ("Ma voiture refuse de démarrer"). À ce titre, la magie des objets dans Harry est psychologiquement pertinente en ce sens qu'elle correspond à une réalité effective du monde intérieur des enfants. En l'exploitant sous forme amusante et en la mettant au service de fonctions narratives, la magie des objets ordinaires est une forme de symbolisation par l'humour.

> **Juliette, 10 ans** - « Ça donne des battements dans le cœur, ça fait pas peur, mais ça fait des battements dans le cœur. Au début, je lis tout doucement, après je me rends même pas compte quand je tourne les pages. »

À côté de tous ces objets magiques, on distingue un autre type de magie, plus inquiétant. Elle concerne les métamorphoses des personnages. Le thème de la métamorphose est un thème classique de la littérature pour enfants. Elle est quasi constante dans le folklore des contes enfantins et a fait l'objet de nombreuses études. Sur un plan sémiotique, elle correspond généralement à des fonctions différentes qui doivent être assumées par un seul personnage. Le personnage se transforme et acquiert par sa métamorphose de nouveaux attributs et de nouveaux pouvoirs. Dans les contes de fée, ce processus est très fréquent. La psychanalyse des contes, telle que celle qu'a proposée Bettelheim, considère plutôt que les métamorphoses permettent l'expression des différentes tendances inconscientes contradictoires ou refoulées. Elles seraient ainsi au service de la figuration des fantasmes inconscients. Quand les bons parents se transforment en ogres, la grand-mère en loup, l'enfant en retire en effet un profit psychologique. Ces métamorphoses symbolisent des représentations intérieures et inconscientes où il perçoit effectivement ses parents sous une forme clivée, comme à la fois bons et terriblement sadiques. L'ambivalence des sentiments et des représentations inconscientes est donc représentée par les métamorphoses des personnages. Au travers de ces histoires apparemment terribles, l'enfant acquiert une maîtrise de ses propres terreurs.

Dans le cas de Harry, les métamorphoses semblent être d'un autre type. Elles ne concernent pas directement des changements de fonction et elles ne sont pas au service de la symbolisation de l'ambivalence. Chez J.K. Rowling, quand un personnage est méchant, il le reste et de même pour les gentils. Les très nombreuses métamorphoses semblent exclusivement en rapport avec les transformations du corps. Or, le lectorat de Harry est justement celui d'enfant appartenant à une classe d'âge qui se prépare à vivre les bouleversements somatiques de la puberté. En franchissant un pas interprétatif, on peut avancer que les métamorphoses des personnages correspondent à une forme de symbolisation des éprouvés corporels et de l'angoisse devant leur survenue anticipée. Sur ce plan, le quatrième tome est particulièrement éloquent et inquiétant. Harry commence à souffrir de façon horrible de sa cicatrice sur son front. Il vit des moments où son corps entier est submergé par la douleur. La résurrection de Voldemort est aussi l'occasion d'une sorte d'expérience de morcellement à l'envers puisqu'il reconstitue son corps morceau par morceau. On est là, non seulement proche des films d'horreur, mais aussi très proche des expériences de dépersonnalisation vécues par les personnes souffrant de dissociation psychotique. C'est aussi le cas avec les voix intérieures, proprement hallucinatoires, qu'Harry entend à plusieurs reprises dans sa tête.

> « Alors, il entendit à nouveau... la voix de quelqu'un qui criait, criait à l'intérieur de sa tête... une voix de femme...
> - non, pas Harry, je vous en supplie, tuez-moi si vous voulez, tuez-moi à sa place. » Tome III, p. 148.

Cela ne signifie pas, heureusement, que la lecture de Harry présente un quelconque danger pour la santé mentale des enfants. Ils savent faire la part des choses entre réalité et imaginaire. La tonalité horrible de l'ouvrage est par ailleurs soigneusement dosée.

> Pauline, 8 ans et demi : « Je n'ai pas peur de la mort et ça n'arrive pas souvent dans Harry Potter (la mort je n'aime pas ça). Je suis sûre que Harry Potter ne mourra pas (c'est le héros du livre). »

Il n'en reste pas moins que les multiples démembrements, décapitations, écorchages, sont bien présents et qu'ils renvoient aux enfants des expériences et des représentations de corps qui sont celles de la souffrance et du morcellement physique. À ce titre, la lecture de *Harry Potter* leur procure une expérience double de fascination et de maîtrise. Fascination pour des représentations où l'image unifiée du corps vole en éclats mais également maîtrise de l'angoisse de morcellement car l'histoire se termine par la victoire de Harry sur les forces du mal, donc par des représentations d'unification.

Sur un plan psychologique, ce processus se comprend chez des pré-adolescents et pré-adolescentes comme étant contemporain du réveil de la sexualité après la période de latence et des transformations de l'image inconsciente du corps. Même si la puberté physiologique n'est pas encore déclenchée, ou n'est pas encore visible par ses manifestations morphologiques ou somatiques, elle reste toujours une source d'inquiétude et parfois d'anxiété chez beaucoup d'enfants de cette classe d'âge qui côtoient au collège des jeunes plus âgés dont le corps est déjà transformé. On est ainsi en droit d'interpréter les fréquentes métamorphoses présentes dans *Harry Potter* comme étant des figurations des processus de transformation de l'image du corps. En cela, elles sont finalement des symbolisations externes de processus vécus intérieurement par l'enfant et devraient servir en fin de compte aux renforcements des défenses et à la construction harmonieuse de la personnalité.

A la condition toutefois que la présentation narrative de ces fantasmes reste contrôlée et qu'elle n'exploite pas abusivement la fascination infantile. On peut sans doute faire confiance à l'auto-contrôle de Rowling sur ce point. Elle a fait preuve dans son œuvre de beaucoup d'humour et de distanciation par l'ironie. Il est probable aussi que les exigences commerciales peuvent servir de régulateurs potentiels sur d'éventuelles dérives vers une morbidité accrue. Il reste en tout cas que, sur le plan psychologique, l'œuvre de Rowling joue quand même avec le feu des processus pulsionnels.

Cependant, si nous en restons à une lecture de la magie comme celle de la figuration des transformations pulsionnelles du corps, nous manquerions une dimension essentielle. La magie exerce aussi une autre fonction dans l'univers de

Harry. Elle représente la capacité, acquise au travers d'une initiation, à pouvoir changer réellement le monde. Il faut délibérément y déchiffrer la figuration de la tâche culturelle qui incombe à chacun d'entre nous, celle de l'action transformatrice sur le monde.

C'est pourquoi les actes magiques que réalisent Harry dans le monde des Moldus au début de chaque aventure ne sont pas uniquement des actes de vengeance contre l'humiliation subie. Ils témoignent de la potentialité de chaque enfant à créer un monde différent de celui de ses parents, certes au travers de la rivalité œdipienne et du meurtre symbolique du père comme le démontre la psychanalyse, mais aussi au travers de la création de nouveaux objets et de nouvelles valeurs. En ce sens, le succès des aventures de *Harry Potter* contient un message d'une grande portée anthropologique. Les enfants de la société de l'information ont besoin aujourd'hui d'un mythe racontant le récit de leur future action créatrice dans l'ordre de la culture.

VII Un mythe initiatique

« Harry a besoin de comprendre ce qui s'est passé. Il est nécessaire de comprendre la réalité avant de pouvoir l'accepter et seule l'acceptation de la réalité peut permettre la guérison. »
Tome IV, p. 605

Louise, 11 ans - « Moi, j'aimerais bien vivre dans ce monde mais en vrai il y a encore plus de dangers dans ce monde que dans le monde des humains. »

La psychanalyse désigne sous le terme de "roman des origines" un fantasme très fréquent chez les enfants et les pré-adolescents[2]. Il s'agit généralement de rêveries éveillées qui s'imposent spontanément à l'esprit de l'enfant. Celui-ci imagine que ses parents réels ne sont pas ses vrais parents. Il aurait été recueilli par eux alors qu'il est, en vérité, fils (ou fille) d'un couple de parents incomparablement plus prestigieux que ses parents réels. Ce fantasme peut présenter de nombreuses variantes. Il peut être déguisé sous une forme rationalisée, en attribuant par exemple la figure des parents d'adoption à des beaux-parents réels. Parfois, un seul des parents peut être l'objet de cette construction. C'est le cas dans de nombreux contes de fée où le père s'est remarié avec une marâtre. Celle-ci représente alors pour l'enfant une fausse mère, mauvaise, alors que sa vraie mère est parée de toutes les vertus. Au-delà de toutes ces variantes, souvent modelées par la situation familiale réelle, ce fantasme présente de façon constante la caractéristique suivante : dans tous les cas, l'enfant espère secrètement qu'il retrouvera ses vrais parents. La vérité éclatera un jour et ses faux parents, mauvais et persécuteurs, disparaîtront pour laisser place à l'Éden des retrouvailles entre l'enfant et ses vrais parents magnifiés.

---

[2] Cf. Freud S., « Le roman familial du névrosé », 1909, traduction dans *Névrose, psychose, perversion*, P.U.F., 1978.

L'histoire de Harry Potter est très clairement l'expression de ce type de fantasme. Harry est un enfant unique dont les deux parents sont morts prématurément dans une catastrophe originaire. Harry n'en est sorti vivant que grâce au sacrifice de sa mère. Harry gardera ensuite toute sa vie une trace singulière de cet événement originaire sous la forme d'une cicatrice. C'est une marque du passé et une trace du traumatisme initial. C'est aussi un signe de démarcation dans le sens où la cicatrice symbolise aussi le destin particulier de Harry et l'empêche de se confondre avec sa famille d'accueil Moldu, les Vernon.

> **Delphine, 12 ans** - « La cicatrice, c'est le sort qu'a jeté Voldemort à Harry. Tu es obligé de mourir si on te jette ce sort, mais on ne sait pas comment la mère de Harry a réussi à le sauver et le sort a rebondi sur le front de Harry et a fait la cicatrice puis a rebondi sur Voldemort. À chaque fois que la cicatrice d'Harry lui fait mal, ça veut dire que Voldemort est tout près. »

Les parents Vernon sont présentés sous une forme abjecte, alliant la méchanceté à la bêtise, à l'instar des parents réels dans le roman des origines. Persécuté et humilié, Harry vit, ou plutôt survit, dans le souvenir de ses vrais parents, parés de toutes les vertus.

L'utilisation de la magie va lui permettre de réaliser plusieurs fois son fantasme en voyant ses parents dans un miroir ou en les incarnant momentanément grâce à sa baguette magique (Tome IV). On comprend alors mieux la fascination ressentie par les enfants à la lecture de Harry. Ils retrouvent sous la plume de J.K. Rowling l'expression romancée d'un des désirs les plus profonds du monde des fantasmes inconscients, celui de la reconstruction des origines de soi.

D'autres thèmes psychanalytiques du même ordre sont présents dans *Harry Potter*. Une lecture délibérément interprétative dégagerait sans grande difficulté les tourments du complexe d'Œdipe derrière le récit du sacrifice de la mère de Harry et les évocations fréquentes du parricide de Lord Voldemort. Tous ces éléments, figurant les problématiques inconscientes de l'enfance, contribuent incontestablement à l'intérêt des enfants pour *Harry Potter* car ils permettent une représentation externe, transformée par l'élaboration littéraire, de leurs fantasmes inconscients. La lecture de *Harry Potter* rentre ainsi dans le cadre bien connu de l'intérêt des contes de fée et des histoires même les plus crues et terrifiantes. La maîtrise du monde intérieur des fantasmes passe en effet nécessairement par sa symbolisation au travers de représentations externes.

Pourtant *Harry Potter* possède une dimension autre que celle de l'expression d'un roman des origines. En exploitant ce thème à l'intérieur d'un système de création d'un monde nouveau, Rowling a su dépasser l'utilisation d'un fantasme imaginaire commun en le sublimant et lui conférant une véritable dimension mythique. Identifiée par les anthropologues dans les cultures dites « primitives », la dimension mythologique existe tout aussi bien dans notre civilisation. Les mythes sont nécessaires. Ils remplissent une fonction de conciliation rationnelle entre les grandes oppositions constitutives d'une culture donnée. Il en est ainsi des oppositions entre la nature et la culture, entre le féminin et le masculin, le cru et le cuit, etc.[3]. Le mythe est donc un récit qui explique l'origine de ces oppositions et leur donne du sens. Cette fonction mythique est très nettement à l'œuvre dans *Harry Potter*. La dimension mythique est d'ors et déjà installée par la préfiguration du destin qui fait de Harry un héros engagé dans un parcours symbolique de découverte de ses propres origines. Ce parcours est ensuite une véritable initiation culturelle dans un monde où se côtoient en bonne intelligence les enfants, apprentis sorciers, et les adultes, professeurs. C'est une initiation dans un monde où il existe aussi une loi nouvelle, celle du ministère des sorciers, permettant la distinction des valeurs du bien et du mal puisqu'il existe une bonne magie et une mauvaise magie. C'est une initiation aussi dans un

---

[3] Cf., en bibliographie, la référence à Claude Lévi-Strauss.

monde fait de nouvelles catégories de pensées où les expériences de magie entraînent une remise en cause des certitudes du monde ordinaire.

La bipartition de l'univers dans lequel Harry vit, à savoir le monde des gens ordinaires et le monde des sorciers, n'est pas seulement issue des contraintes imposées par la nécessité de créer un monde imaginaire. Cette bipartition présente l'intérêt de mettre en opposition catégorielle des systèmes de valeur et d'étudier leur différence. C'est pourquoi au collège de Poudlard, il existe un cours consacré à l'étude des Moldus.

> « Pourquoi étudier les Moldus ? s'étonna Ron en lançant un regard effaré à Harry. Tu es née dans une famille de Moldus ! Tes parents sont des Moldus ! Tu sais déjà tout sur les Moldus !
> - Ce qui me passionne, c'est de les étudier du point de vue des sorciers, répondit Hermione avec le plus grand sérieux. » (Tome III, p. 52)

Ce détail correspond à une vérité profonde. En effet, nous avons beaucoup de mal à discerner nos propres mythes. Ceux-ci ne peuvent être repérés qu'en se positionnant dans un rapport d'exclusion à notre propre culture. On ne peut connaître sa propre culture, c'est-à-dire percevoir les valeurs idéologiques, les systèmes de marquage symboliques comme les rituels, les coutumes, etc., qu'à partir d'une expérience d'extériorisation de notre propre culture. Or, cette expérience impose un décentrage que peut certes réaliser l'ethnologue mais qui n'est pas accessible réellement pour le pré-adolescent. Celui-ci est pourtant un voyageur entre deux cultures, celle de l'enfance et celle du monde adulte.

> **Julia, 12 ans** - « Si un sorcier se retrouve dans notre monde, il serait mort de trouille. »

Le récit de *Harry Potter* quitte ainsi le roman d'aventures imaginaires pour l'enfance pour atteindre une dimension mythique, celle de la génération d'une nouvelle culture. La façon bien particulière qu'a Rowling de traiter les noms des personnages et des objets en est un indice fort. Celui qui ouvre pour la première fois un *Harry Potter* ne peut en effet manquer d'être surpris par le grand nombre de noms étranges désignant les différents objets et personnages qui peuplent le petit monde des sorciers. Très joliment traduits et adaptés en français par Jean-François Ménard, ces noms étranges sortent tout droit de l'imagination de Rowling. La plupart sont souvent des mots-valises ou des jeux de mots[4]. Le procédé est amusant et donne une couleur étonnante

---

[4] Cf. l'annexe en fin de cet ouvrage « Quelques êtres et objets bizarres du monde de Harry »

aux divers objets et personnages. C'est une véritable transposition dans l'ordre des noms des propriétés magiques attribuées à ces mêmes objets et personnages. L'humour de ces noms a une vertu apaisante et de distanciation vis-à-vis de l'horreur de certaines scènes ou du caractère angoissant de certains personnages.

Cependant, l'extension du procédé à l'ensemble de l'œuvre, sa systématisation et son ampleur, donnent à penser qu'il y a là autre chose qu'un simple choix stylistique. Il existe un contraste étonnant entre la richesse poétique de ces néologismes et l'absence déconcertante de toute poésie dans le reste du texte. Tout se passe comme si ces néologismes condensaient toutes les figures poétiques et ne laissait dans le reste du texte qu'un récit descriptif. Peu de comparaisons métaphoriques nouvelles ou audacieuses, peu de descriptions qui libéreraient des effets métonymiques (comme celui produit par l'emploi du mot *voile* pour désigner un *bateau*). Ces procédés de style dont les croisements multiples forgent la poésie d'un texte sont généralement négligés par Rowling. Ou plus exactement, ils sont exclusivement utilisés pour la construction des nouveaux mots de la culture des sorciers.

L'absence d'une dimension poétique dans le texte est très étonnante pour un lecteur adulte qui attend d'un livre pour enfant une échappée dans l'imaginaire poétique. Or, l'imaginaire du monde de Harry Potter n'est pas poétique au sens où il jouerait des effets croisés de ces figures de la rhétorique. Il est paradoxalement construit sous un mode réaliste. C'est la description d'un monde traversé par des conflits entre l'ordre et le désordre et des confrontations entre des intérêts particuliers. L'univers entier de Harry Potter est en fait une métaphore du monde réel. La création de mots nouveaux et la constitution d'un lexique spécifique au monde des sorciers sont donc des caractéristiques essentielles. Il s'agit, ni plus ni moins que de la création d'une culture. Bien sûr, il s'agit d'une culture locale, réduite au petit monde des sorciers et de la magie. Pourtant c'est là une caractéristique particulièrement intéressante lorsqu'on la met en rapport avec une des problématiques centrales de l'adolescence : celle de la transition entre la famille nucléaire et la société.

Une société n'est pas uniquement constituée des rapports sociaux ou de production économique. Elle est aussi sous-tendue par un système symbolique de règles et de valeurs que l'adolescent va devoir rencontrer. L'étude ethnologique des sociétés dites « primitives », mais aussi celles de sociétés bien actuelles, a montré que le passage à la vie adulte est très souvent marqué par une phase d'initiation symbolique. Cette phase permet aux jeunes d'accéder au statut d'adulte en leur faisant suivre une sorte de rituel comprenant souvent un éloignement de la famille, une initiation touchant à la vie sexuelle mais aussi au système de production (chasse, etc.). Lors de cette initiation, le jeune reçoit une marque symbolique de distinction, scarification ou ornement, et très souvent un nouveau nom. C'est donc une initiation qui se déroule principalement dans le registre des symboles et des noms. La comparaison avec notre société montre bien l'absence de ce type d'initiation.

Cependant, à bien regarder les murs de nos cités, on constate la floraison de tags qui sont autant de marques symboliques d'individuation et de démarcation de territoires, transgressives de l'ordre adulte. Sans vouloir faire une interprétation univoque d'un phénomène aux dimensions complexes, les tags sont l'expression d'une forme d'activité d'opposition à une société qui ne permet pas une transition symbolique entre le monde de l'enfance et le monde adulte. C'est pourquoi les tags sont des symboles originaux, une forme d'écriture tentant à la fois d'occuper l'espace mais aussi de créer un nouveau système. À ce titre, on peut considérer l'idée que l'adolescence est le temps de la rencontre entre le jeune et un système symbolique externe médiatisant une culture. Si cette culture n'est plus capable de faciliter cette rencontre, alors le jeune adolescent, désorienté dans un monde symbolique qu'il perçoit comme étranger et menaçant, essaye de créer avec ses pairs un autre monde symbolique à sa dimension. En ce sens, l'adolescence est bien un bouleversement du développement mais c'est aussi une période critique pour la création symbolique.

Le phénomène de création des mots nouveaux dans *Harry Potter* répond à une logique de ce type. En systématisant l'usage de noms nouveaux, Rowling permet au jeune lecteur de se familiariser avec une culture symbolique nouvelle et de vivre par identification avec Harry la transition entre le monde de l'enfance et le monde adulte. C'est cette transition que nous ne savons plus gérer. Nous ne savons plus comment transmettre aux enfants d'aujourd'hui une représentation unifiée d'une culture dont la complexité dépasse littéralement notre entendement. Les difficultés de nombreuses familles de migrants dans notre société sont une illustration de la fonction primordiale de l'orientation culturelle. À côté de l'ostracisme et des problèmes économiques, leurs difficultés concrètes sont très souvent liées à la désorientation face à des repères culturels différents. Leurs enfants sont ainsi souvent pris entre des références culturelles croisées et peuvent être particulièrement exposés à des difficultés psychologiques.

Sur un autre plan, on sait aussi que certaines formes de troubles mentaux, et en particulier la schizophrénie, sont en étroite relation avec les aspects culturels et sont parfois liées à la difficulté d'intégrer certaines structures portées par la culture. Or, si nous pouvons, en tant qu'adultes, nous adapter par nos idéologies et nos croyances à un monde dont nous n'entrevoyons clairement que de faibles parties, les enfants ont en revanche besoin, de par les nécessités de leur développement cognitif et social, d'une représentation accessible de l'ensemble d'une culture pour pouvoir anticiper leur devenir.

Harry Potter, comme d'une autre façon et pour des enfants plus jeunes les systèmes ludiques tels que les *Pokemon*, répond à cette même exigence : rendre intelligible la totalité des liens et relations entre les objets d'une culture. C'est pourquoi les enfants sont attirés par des œuvres qui présentent des modèles réduits d'univers munis de lois, de valeurs, de règles généalogiques (dans le cas de *Harry Potter*), de règles d'évolution (dans le cas des *Pokemon*). Les enfants ont besoin d'une intelligibilité projective du monde ramenée à une dimension accessible à l'esprit pour pouvoir se préparer à affronter la complexité de notre culture. C'est là, ramené à nos sociétés occidentales, le même principe qui préside à la création des mythes dans toutes les sociétés : rendre intelligible la culture.

Sous le couvert d'un roman d'aventures pour la jeunesse, l'initiation de Harry dans l'école des sorciers est donc bien un récit mythique, adapté au style de pensée des enfants d'aujourd'hui. Il s'agit d'une initiation au monde adulte. Elle se situe à l'endroit précis où s'opère la fonction rituelle du passage symbolique des âges, de l'enfance à l'adolescence, fonction dont on sait qu'elle est justement cruellement manquante dans nos sociétés occidentales :

« Les sociétés contemporaines ne prévoient aucune forme ni aucune formalité particulières pour l'entrée dans le groupe ; elles ne valorisent pas l'appartenance sociale ; c'est une lacune grave dans la mesure où l'on ne peut s'intéresser vraiment à un statut acquis aussi facilement. Les sociétés traditionnelles nous rappellent que l'intégration de l'individu au groupe n'est pas seulement une donnée culturelle, mais qu'elle est aussi une valeur culturelle. » Jean Poirier, *Ethnologie régionale*, tome II, p. 1925, Encyclopédie de La Pléiade, Gallimard.

Le succès de *Harry Potter* s'explique donc en fin de compte par la force d'un mythe initiatique. Il permet d'aborder l'avenir en expliquant le passé des origines et en faisant supporter par la magie les épreuves du présent.

Épilogue

Solange, 11 ans - « Au fond, on sait que ça n'existe pas le monde d'Harry. »

La saga de Harry Potter n'est pas finie. Sept tomes sont prévus et trois restent encore à paraître[5]. Lors du dernier tome, Harry aura atteint l'âge de sa majorité, et commencera véritablement sa vie d'adulte. Le phénomène d'engouement se poursuivra-t-il jusqu'à la publication finale ? Nos enfants vont-ils grandir et devenir adultes au rythme de l'initiation de Harry ? Faisons en tout cas confiance aux ressources du marketing pour assurer la continuation du succès tant par les produits dérivés que par les moyens de diffusion de masse. Faut-il s'en réjouir, au titre de la pérennité de la lecture ? Faut-il se désoler du développement d'une sorte d'imaginaire universel de l'enfance, formaté par un soigneux dosage entre fascination et humour et dont ce livre ne serait qu'un habile support ? Chacun est ici libre de son jugement et des réponses qu'il peut apporter à ces questions.

J'ai essayé de montrer que le succès de *Harry Potter* auprès des jeunes lecteurs tient, à mon sens, à la conscience chez J.K. Rowling de l'existence d'une véritable révolution dans la façon de lire, et donc

---

[5] On connaît déjà le titre du cinquième tome, « *Harry Potter et l'ordre du phénix* ». On sait également que Rowling a déjà écrit le dernier chapitre du dernier tome de la saga de Harry Potter.

aussi de penser, des enfants d'aujourd'hui. Le style alerte d'écriture, la prédominance de l'évocation d'actions, le déroulement rapide des énigmes, la pluralité des personnages, l'invariance du cadre temporel et spatial de l'histoire, tous ces traits sont profondément congruents avec la forme de pensée de nos enfants vivant dans une société de l'information dont les vecteurs symboliques sont en pleine mutation. *Harry Potter* est peut-être le premier livre qui intègre pleinement cette nouvelle donne « cognitive » au sein d'un style littéraire.

À ce titre, nous avons beaucoup de choses à apprendre de ce succès. Ce nouveau style de pensée, centrée sur la puissance intégrative de la représentation d'actions, peut renouveler en profondeur les valeurs pédagogiques et nous aider à apprendre de nos enfants une façon différente d'acquérir et de transmettre la connaissance. Tout se passe en effet comme si le rapprochement entre les formes manifestes de l'écrit et sa structure latente ouvrait de nouvelles voies pour le développement de la pensée. Il s'agit en fait là d'une véritable inversion de la norme. La plupart des adultes aujourd'hui ont été éduqués dans une valorisation de l'éloignement des schémas sous-tendant l'expression littéraire. Une œuvre réussie, et plus généralement un discours intéressant, étaient peu ou prou jugés d'après leur finesse dialectique et leur sophistication par rapport aux schémas types. Or, aujourd'hui, il semble que cela soit le contraire qui se produit dans les goûts des enfants et pré-adolescents. Il serait dommage de ne voir là qu'une forme de régression ou de réaction à l'école.

Le succès de *Harry Potter* s'inscrit dans un vaste mouvement de mutation dans les formes de pensée qui est étroitement associé aux changements dans les codes sémiotiques liés aux nouvelles technologies. Or toute mutation en ce domaine ne peut se faire que par le retour aux formes génériques qui sous-tendent le développement de la pensée. En ce sens, plus une expression se rapproche en intention d'un schéma type, et plus elle acquiert une puissance générative lui permettant un nouveau développement en extension. C'est pourquoi la simplicité du schéma narratif de *Harry Potter* n'est qu'apparente. L'opposition des mondes et les conflits basiques que l'on peut déchiffrer aisément dans l'œuvre de Rowling ne sont pas des simplifications dont la fonction serait uniquement la recherche d'efficacité. Ce sont des retours aux sources de la créativité symbolique.

Mais cela n'est pas tout. Rowling a su créer un univers qui répond directement à un besoin très profond de cette classe d'âge, celui du mythe. Les nombreux emprunts faits par Rowling à la mythologie, ainsi qu'aux contes du folklore populaire, ne doivent donc pas être pris pour des faiblesses d'inspiration. Ils signent l'appartenance de l'ouvrage au mouvement mythologique. La saga de Harry Potter est fondamentalement un mythe initiatique contemporain comportant la construction d'un roman des origines de soi, une interprétation de la distinction des groupes sociaux dans ses rapports à la construction de l'identité, et enfin la perspective d'une création individuelle dans l'ordre de la culture. Au bout du compte, Rowling construit de fond en comble un univers radicalement différent au sein duquel le pré-adolescent peut projeter une identification collective au groupe (les différentes maisons constitutives du collège) et une destinée individuelle (le destin singulier de Harry symbolisé par sa cicatrice) dont la finalité est l'accomplissement de soi.

Sur ce plan, la diffusion quasi-planétaire de l'œuvre de J.K. Rowling prend une autre dimension que celle d'un marché mondialisé et une autre signification que celle du funeste rabattement de la littérature sur la production d'une marchandise. Elle témoigne du formidable appétit d'identification collective d'une classe d'âge qui va devenir adulte dans un monde futur traversé de part en part par l'immédiateté de l'information et la virtualisation de la réalité.

Le chaudron magique de Harry Potter est l'allégorie de la transformation du monde. L'incapacité de nos sociétés occidentales à pouvoir penser et donner une signification symbolique à la transition des âges a très certainement laissé libre un espace vierge sur lequel l'ouvrage de Rowling s'est déployé sans rencontrer d'obstacles. Sans doute est-il dommage que *Harry*

Potter y règne sans concurrent à ce jour. Un discours différent pourrait en effet apporter d'autres réponses aux questionnements de l'enfance que celle de la bipartition du monde, de l'affrontement des forces antagonistes et du recours à la toute-puissance de la magie ? Sans doute s'agit-il là d'un vœu « pieux » ! Il est vrai que ni la religion, ni l'idéologie politique ne semblent plus aujourd'hui en mesure de délivrer un message clair répondant aux questions sur le devenir adulte dans une société de plus en plus complexe et clivée.

Gardons la tête sur les épaules ; ces conclusions ne sont peut-être que des constructions d'adulte, oublieuses des capacités de tout enfant à relativiser le pouvoir des histoires et à prendre avec humour l'invraisemblable et le fantastique. Le génie de Rowling tient sans doute au bout du compte à cette très curieuse alchimie qui a su transformer les fantasmes les plus sombres de l'enfance avec la légèreté de l'ironie.

> **Louise, 11 ans** - « La fin de l'histoire ? Moi, je dirais que Cho et Harry sont ensemble. Voldemort est mort. Les Mangemorts sont en prison. Harry ira vivre chez les Wealsey. Sirius Black pourra vivre normalement. Harry va ensuite choisir un métier et puis voilà. »

Fonction symbolique des principaux personnages

Le nombre de personnages dans *Harry Potter* est exceptionnellement élevé. Nous présentons ci-dessous les principaux personnages en décrivant leurs rôles dans l'histoire et les fonctions symboliques qu'ils représentent. Nous les avons classés en suivant leur proximité vis-à-vis de Harry et en terminant par ses ennemis.

Harry Potter : Héros central de l'œuvre de Rowling. Il est présenté sous les traits d'un jeune garçon sympathique au visage fin, portant des lunettes. Il est faible sur le plan physique mais extraordinairement puissant dans la pratique de la magie. Harry Potter est aussi le meilleur joueur au jeu rituel du Quidditch. Il joue au poste d'attrapeur et fait toujours gagner son équipe. Sa victoire est due en partie aux propriétés exceptionnelles des balais magiques qu'il chevauche tels des scooters volants. Il est pratiquement toujours accompagné de deux alter ego, Ron et Hermione. Ces deux personnages permettent une diversification des identifications des lecteurs : les filles s'imaginant être Hermione, certains garçons préférant Ron. Les deux personnages sont en fait des auxiliaires du héros. La généalogie de Harry est dramatique. Ses deux parents sont morts dans un terrible combat contre Lord Voldemort. Sa mère s'est sacrifiée pour le sauver alors qu'il était nourrisson. Ces éléments favorisent une identification forte chez l'enfant lecteur car il s'agit là d'une version du fantasme des origines que tout enfant est amené à élaborer plus ou moins consciemment.

Ronald Weasley (Ron) : Avec Hermione, c'est un alter ego de Harry. Il l'accompagne dans toutes ses aventures. J.K. Rowling présente ce jeune garçon comme très sympathique. Elle accentue une caractéristique importante chez Ron : il est issu d'une famille de sorciers dont le mode de vie est opposé à celui de la famille adoptive de Harry, les Dursley. La famille Weasley montre une joie de vivre et ceci malgré de grandes difficultés économiques. Autre contraste avec la famille Dursley, dans cette famille nombreuse tous les frères et sœurs entretiennent de bons rapports (Ron a 5 frères et une petite sœur, Ginny, amoureuse de Harry. Ils sont tous roux et ont des taches de rousseur).

Hermione Granger : Harry l'a rencontrée dans le train lors de la première rentrée scolaire à Poudlard. Elle est devenue un alter ego de Harry qu'elle accompagne dans toutes ses aventures. J.K. Rowling la présente comme une bonne élève, très désireuse de bien travailler et d'en faire même un peu plus que ce qu'on lui demande à l'école des sorciers. Elle est un peu brusque et impatiente. Son amitié pour Harry est sans ambiguïté.

Cho Chang : Collégienne de Poudlard appartenant à la maison Serdaigle. Elle est une bonne attrapeuse au jeu de Quidditch. C'est avec elle que semble vraiment commencer, dans le quatrième tome, l'éducation sentimentale de Harry, alors âgé de 12 ans, âge des premiers émois amoureux. Ses performances sportives, qui en font une rivale directe de Harry, montre bien que les sentiments amoureux de cet âge sont modelés sur la confrontation et parfois l'agressivité. Cependant, dans ce cas, la confrontation amoureuse est habilement médiatisée par les règles d'un jeu collectif.

Lily et James Potter : Ce sont les parents de Harry, assassinés par le mage Lord Voldemort. Bien que morts ils sont constamment présents : par la quête de Harry pour la reconstitution de sa généalogie ; par la présence d'objets magiques comme la cape d'invisibilité que lui a léguée son père ; symboliquement enfin, la protection des parents s'étendant au-delà de la mort. La mère de Harry a par ailleurs fait le don maternel suprême en payant de sa vie pour essayer de sauver son fils.

Rubeus Hagrid : C'est un sorcier, géant, garde-chasse de Poudlard. Il est venu chercher Harry pour lui annoncer sa destinée singulière. Il adore les bêtes dangereuses et tente d'élever un dragon. Il a aussi un énorme chien à trois têtes qui s'endort quand on lui chante une berceuse. Hagrid a été injustement renvoyé de l'école à sa troisième année. Harry, Ron et

Hermione ont réussi à le réhabiliter. Il devient alors professeur de soins aux créatures magiques. C'est un personnage très important car il assure aussi les fonctions de messager de l'ordre des sorciers. C'est un être bon et secourable, démontrant aux enfants que l'on peut vaincre la violence et le sadisme par la douceur. Il incarne aussi une fonction de médiation entre le monde des enfants, apprentis sorciers, et le monde des adultes, professeurs. Il est significatif que cette fonction de médiation soit attachée à la notion d'exclusion. En d'autres termes, celui qui peut être réellement médiateur est celui qui a vécu douloureusement et injustement une exclusion. Les enfants intègrent ainsi la loi du monde adulte en réparant les injustices que cette même loi commet.

Albus Dumbledore : Sorcier, directeur du collège Poudlard après y avoir exercé en tant que professeur. Il est le seul à pouvoir vraiment s'opposer à Lord Voldemort. C'est une image paternelle, celle d'un homme bon et compréhensif mais respectueux de la loi des sorciers et soucieux de la faire respecter par les collégiens. Il a bien connu le père de Harry. De fait, il assume la fonction d'une sorte de substitut du père en étant le gardien de l'ordre du monde des sorciers contre les attaques de Voldemort. On peut ainsi distinguer le père réel de Harry, mort dans l'affrontement initial, le père adoptif en la personne de son oncle, le père de substitution, Sirius Black, et enfin le père symbolique qu'est Dumbledore

Sirius Black : C'est un personnage important dans l'œuvre de Rowling bien que paradoxalement peu présent physiquement dans le récit. Il est d'abord présenté sous les traits d'un homme cherchant à nuire à Harry. Puis s'opère un retournement : l'ennemi est en fait un allié, et pas n'importe quel allié puisqu'il est le parrain de Harry auquel son père, avant de mourir, a confié la tâche de protéger son fils. Ainsi, au delà la mort, le père de Harry continue-t-il à le protéger.

Dobby (Elfe de maison) : C'est un personnage non humain particulièrement intéressant vu la fonction qu'il occupe dans le récit. Sur le plan physique, c'est une petite créature, dotée de grandes oreilles semblables à celles d'une chauve-souris et d'énormes yeux globuleux. Elle doit servir à tout jamais la même maison et la même famille. Elle présente une caractéristique singulière : elle se frappe quand elle a des pensées négatives à l'encontre de son maître. Ce personnage représente bien la fonction d'autocensure psychiquement assumée par les relations entre le moi et le surmoi. Beaucoup de personnages annexes ou de créatures magiques chez J.K. Rowling sont construits sur l'exacerbation d'un ou deux traits morphologiques ou de caractère.

Drago Malefoy : C'est un collégien apprenti sorcier présenté comme l'ennemi personnel de Harry. Ils se sont rencontrés dès le premier voyage vers le collège. De même qu'Harry est accompagné de deux auxiliaires, Drago est aussi souvent accompagné de deux amis qui lui servent de gardes du corps. Il joue également au Quidditch au poste d'attrapeur, pour les Serpentards, le groupe opposé à celui de Harry. Il est présenté comme sournois et méprisant particulièrement les origines sociales de Ron. Son père, Lucius Malefoy, fait partie des intimes de Voldemort. Drago est un représentant des forces du mal mais incarné dans un personnage de même rang qu'Harry, c'est-à-dire un collégien.

Vernon Dursley : il est l'oncle par alliance de Harry. En le recueillant sur le pas de sa porte et en l'élevant jusqu'à sa onzième année, il va assumer le rôle d'un père de substitution. Il est présenté sous la forme caricaturale d'un personnage bête et méchant, sans force devant la volonté persécutrice de sa femme à l'égard de Harry.

Pétunia Dursley : Pétunia, sœur de la mère de Harry, est sûrement la personne la plus odieuse et la plus désagréable de toute la série *Harry Potter*. Elle est mince et blonde et dispose d'un cou deux fois plus long que la moyenne, ce qui lui permet d'espionner aisément ses voisins. Alors qu'elle était encore une enfant, ses parents ont été informés que sa sœur, Lily, était une sorcière et devait partir pour étudier à Poudlard. Pétunia, malade de jalousie, reniera sa sœur à jamais et répétera toute sa vie à qui veut bien l'entendre qu'elle n'a jamais eu de sœur. C'est une image féminine connotée négativement qui doit assumer la fonction d'une mère de substitution pour Harry. L'idéalisation de la vraie mère de Harry a ainsi son corollaire inversé dans les traits persécuteurs de Pétunia.

Dudley Dursley : cousin de Harry, fils de son père adoptif, il est présenté très négativement par J.K. Rowling. Il est gros, lâche et trop gâté par ses parents. La tante Pétunia lui trouve l'air d'un chérubin, mais Harry le compare à un cochon coiffé d'une perruque. Dudley sème la terreur dans son école avec son ami Pier Polkiss. Harry est leur souffre-douleur préféré. Sur le plan narratif, c'est en fait un personnage destiné à instaurer un contraste maximal avec un Harry-Cendrillon injustement persécuté. C'est là un principe fréquent chez J.K. Rowling. Tout marquage positif d'un personnage est renforcé par la génération d'un personnage aux traits diamétralement opposés. Cela correspond à une tendance psychologique forte. Les clivages marqués entre les qualités renforcent les processus d'identification du lecteur avec le personnage doté des qualités positives. Cependant, la généralisation du processus de clivage n'aide pas à affronter la réalité de la complexité des sentiments humains réels, c'est-à-dire la coexistence chez un même sujet de traits positifs et négatifs entremêlés.

Lord Voldemort : Lord Voldemort est l'assassin des parents de Harry. Il est nommé aussi « Tu-sais-qui » ou« Celui-Dont-On-Ne-Doit-Pas-Prononcer-Le-Nom ». C'est le pire ennemi de Harry. Il représente le mal absolu, la volonté de destruction, l'esprit de vengeance et de persécution. Sa propre généalogie comporte un parricide. De façon remarquable il est à la fois innommable - on ne peut prononcer son nom – et non représentable – son corps est l'objet de métamorphoses permanentes en différents avatars. Dans le quatrième tome, il se réincarne en s'emparant des organes des autres. Sa fonction narrative est celle d'incarner justement les forces opposées à l'organisation des sorciers. Il représente également l'angoisse des forces obscures liées au corps et à sa dissolution dans la mort. La victoire de Harry sur Lord Voldemort est d'abord la maîtrise de sa propre angoisse. Lord Voldemort représente, au fond, la part pulsionnelle inconsciente présente chez tout enfant et que celui-ci doit maîtriser pour pouvoir grandir.

Fonction de quelques êtres ou objets bizarres du monde de Harry

Le nombre très élevé de noms créés de toutes pièces dans l'œuvre de J.K. Rowling présente un caractère remarquable. Il s'agit d'une véritable création d'un monde parallèle dont ce lexique ne donne qu'un aperçu.

Animagus : sorcier ou mage ayant la faculté de se transformer en animal. Il existe un registre indiquant de quel animal un sorcier peut prendre la forme et duquel de ses signes distinctifs il peut s'emparer. Les animagus posent la question de la métamorphose et de son importance dans l'imaginaire des préadolescents aujourd'hui.

Azkaban : C'est une forteresse-prison dont personne ne s'est jamais échappé, mis à part Sirius Black. C'est une enclave à l'intérieur du monde des sorciers. Elle est gardée par les détraqueurs dont Harry a particulièrement peur. La première rencontre avec un détraqueur se réalise dans le train qui va à Poudlard.

Baguettes magiques : De façon très classique, c'est un ustensile que tous les sorciers possèdent et dont ils usent pour jeter des sorts. Elles sont taillées sur mesure dans différentes espèces d'arbres. Chaque sorcier à la baguette qui lui convient le mieux. Symboles phalliques évidents, elles sont au service de la toute-puissance des désirs. Curieusement, ce terme désigne aussi des friandises à la réglisse que mangent les sorciers (surtout les enfants). Dans le duel avec Voldemort, la baguette de ce dernier est étrangement du même type de celle de Harry. Leurs pouvoirs se sont ainsi neutralisés. La communauté d'appartenance des baguettes entre Voldemort et Harry laisse à penser qu'il existe entre eux un lien particulier, sans doute généalogique.

Balai magique : Balai doté de pouvoirs magiques sur lequel il est possible de s'envoler. Il est assez facile d'y voir la figuration du désir d'indépendance des pré-adolescents. Le balai magique comme anticipation du scooter paraît peut-être plus réaliste qu'une interprétation plus « freudienne », les deux interprétations ne sont cependant pas exclusives l'une de l'autre.

Ballongommes de Bullard : Ce sont des friandises que mangent les sorciers. Il existe une occurrence étonnante des objets alimentaires, type friandises, dans *Harry Potter*. Faut-il y voir là la marque de désirs oraux de la part des jeunes sorciers ou plutôt de celle de l'auteur en mal de douceurs pendant une période difficile de sa vie, celle où elle écrivait justement son premier ouvrage ?

Basilic : C'est le nom donné à un gigantesque serpent connu également sous le nom de Roi des Serpents. Ce reptile, qui peut vivre plusieurs centaines d'années, naît d'un œuf de poulet couvé par un crapaud. Pour tuer ses victimes, la créature possède des crochets venimeux, mais il lui suffit surtout de croiser le regard d'un être pour le faire disparaître. Il répand également la terreur parmi les araignées dont il est le mortel ennemi. Le serpent redoute le chant du coq qui peut le tuer s'il l'entend. Harry va affronter ce monstre en un combat singulier qui n'est pas sans rappeler le mythe de Saint Georges terrassant le dragon.

Beuglante : C'est une sorte de lettre piégée contenue dans une enveloppe rouge vif qui explose au visage de son destinataire tout en vociférant des reproches. C'est une jolie figuration de ce qu'est justement un reproche.

Cape d'invisibilité : objet magique conférant, comme son nom l'indique, l'invisibilité à celui qui la porte. C'est surtout un objet de protection et de combat légué à Harry par son père. Ce don correspond à une fonction habituelle dans les contes. Cet objet permet en effet de vaincre l'adversité.

Cérémonie de répartition : Cérémonie au cours de laquelle les nouveaux élèves du Collège Poudlard sont répartis dans une des 4 maisons (Gryffondor, Serdaigle, Serpentard ou Poufsouffle) par le Choixpeau magique. La répartition reste mystérieuse.

Chaudron magique : tout à fait classiquement, il s'agit d'une grande marmite, généralement en étain, qui sert de récipient pour préparer des potions magiques.

Chocogrenouille : Friandise en forme de grenouille que mangent les sorciers, surtout les enfants. Dans chaque paquet de Chocogrenouille se trouve une carte sur un sorcier ou une sorcière célèbre. C'est une sorte de pastiche des procédés commerciaux utilisés dans l'industrie alimentaire pour capter le marché de la consommation des enfants.

Choixpeau magique : C'est un chapeau appartenant au professeur Dumbledore qui répartit les nouveaux élèves du Collège Poudlard dans leurs différentes maisons à chaque début d'année scolaire. C'est une figuration des règles d'attribution et une symbolisation détournée de l'arbitraire présidant à la constitution des classes au collège. Par ce genre de détail narratif, J.K. Rowling adhère bien aux préoccupations des jeunes collégiens soumis au choix fait par les professeurs et vivant parfois de douloureuse séparation d'avec certains camarades.

Collège Poudlard : C'est le collège des sorciers fondé il y a plus de mille ans. Les 4 maisons qui le constituent portent les noms des constructeurs du collège : Godric Gryffondor, Helga Poufsouffle, Rowena Serdaigle et Salazar Serpentard. Le directeur actuel du collège est Albus Dumbledore.

Coupe des 4 maisons : Au Collège Poudlard, cette coupe est décernée à la maison qui a obtenu le plus de points au cours de l'année. Un élève obtient des points quand il a fait une bonne action pour le collège ou s'il a eu de bons résultats.

Cracmol : C'est un sorcier né dans une famille de sorcier mais qui n'a aucun pouvoir magique.

Croûtard : C'est le rat familier de Ron. En fait, c'est un avatar d'un ennemi des parents de Harry.

Détraqueurs : Ce sont les redoutables gardiens de la forteresse d'Azkaban. Les détraqueurs se nourrissent du bonheur humain. Leurs baisers vident l'âme de leurs victimes. Harry en a très peur. Ce sont apparemment des figurations des gardiens de l'ordre. Ils sont du côté de Harry, mais celui-ci ressent une peur panique en leur présence.

Epouvantard : Ce sont des créatures qui prennent l'apparence de ce qui fait le plus peur à chacun. Le seul moyen de lutter contre les épouvantards est de les imaginer dans une posture ridicule et de prononcer une formule magique

Gryffondor : Une des quatre maisons du collège Pouldar. C'est la maison de Harry. Elle est l'ennemie de la maison des Serpentards.

Hiboux : Les hiboux ou les chouettes sont les animaux de compagnie des sorciers, mais ils exercent surtout une fonction de communication entre les sorciers en transportant du courrier. Sur le plan narratif, ils exercent à la fois une fonction d'adjuvant au héros et en même temps facilitent la communication entre des sorciers distants, permettant ainsi au récit de se déployer sans trop se préoccuper des délais temporels de transmission. Avec un peu d'imagination, on peut y voir une métaphore des téléphones portables...

Hyppogriffes : Ce sont des créatures volantes dont le tronc, les pattes arrière et la queue ressemblent à un cheval, mais dont les ailes et la tête sont celles d'aigles monstrueux au long bec gris acier. Leurs yeux sont orange et leurs pattes pourvues de serres redoutables d'une quinzaine de centimètres de long. Ce sont donc des figures composites constituées de parties d'espèces animales différentes. L'effet monstrueux est lié à la transgression des catégories morphologiques.

Lumos : C'est une formule magique qui doit être prononcée pour que le bout d'une baguette magique émette de la lumière.

Magicobus : Bus permettant le ramassage des sorciers égarés dans le monde des Moldus.

Mangemort : Ce sont des sorciers au service de Voldemort. Crabbe et Goyle, amis de Drago Malefoy, sont des mangemorts qui ont été malgré tout innocentés par le tribunal.

Mandragore : Dans l'œuvre de J.K. Rowling, c'est une plante possédant de puissantes propriétés curatives. On l'utilise pour rendre leur forme d'origine ou leur santé aux victimes de métamorphoses ou de sortilèges. Son cri est mortel pour quiconque l'entend. Or, cette plante est bien un élément classique de la littérature fantastique. D'après certaines des nombreuses légendes courant au sujet de cette plante, elle pousserait sous les potences des pendus et serait nourrie par les éjaculas des moribonds. On voit que l'interprétation de J.K. Rowling est beaucoup plus sage et de bon ton.

Miroir du Risèd : Miroir qui montre son désir le plus profond à celui qui le contemple.

Moldu : Personne dépourvue de pouvoirs magiques, membre de la communauté non magique.

Mornille : Les Mornilles sont des pièces en argent. La valeur d'une Mornille est supérieure à celle d'une Noise mais est inférieure à celle d'un Gallion. C'est donc tout un système monétaire qui est utilisé dans le monde de Harry Potter.

Patacitrouilles : Friandises que mangent les sorciers (surtout les enfants).

Phénix : Oiseau au magnifique plumage rouge et or qui renaît de ses cendres après s'être enflammé au moment de mourir. Emprunté à la mythologie.

Pierre philosophale : C'est un emprunt de J.K. Rowling à un des thèmes les plus connus de l'alchimie. Dans *Harry Potter*, c'est une pierre légendaire dotée de pouvoirs. Elle peut transformer n'importe quel métal en or pur et produit l'élixir de longue vie immortalisant celui qui le boit. Elle exerce surtout une fonction d'objet de valeur dans un des schémas narratifs de l'œuvre de J.K. Rowling. Il faut bien se battre pour la possession de quelque chose, alors pourquoi pas la pierre philosophale.

Polynectar : Potion qui permet de prendre l'apparence de quelqu'un d'autre.

Potion magique : Substance fabriquée généralement dans un chaudron à partir d'ingrédients magiques. Selon sa composition, elle permet de soigner les gens ou de leur faire prendre l'apparence de quelqu'un d'autre, etc.

Portoloins : Objets qui permettent de transporter les sorciers d'un point à un autre à une heure fixée d'avance.

Poudlard Express : Train magique reliant le monde des Moldus au Collège de Poudlard. Départ de la gare de King's Cross (à Londres), quai 9 trois quart.

Poudre de cheminette : Poudre qu'on lance dans un feu de cheminée. Les flammes prennent alors une couleur vert émeraude et s'élèvent dans l'âtre. Quand ensuite une personne entre dans la cheminée et y prononce clairement l'adresse d'un endroit, cette personne disparaît pour réapparaître dans le lieu qu'elle a désigné.

Pouvoir magique : Les sorciers possèdent des pouvoirs magiques : ils ont la faculté de jeter des sorts à l'aide d'une baguette magique et en prononçant une formule magique.

Pré-au-Lard : Dans la géographie imaginaire du monde des sorciers, c'est un village comportant des lieux hantés comme une cabane hurlante et des magasins. On y trouve notamment : Derviche et Bang (magasin d'objets magiques), Zonko (boutique de farces et attrapes), les Trois balais (le bar où sont servies des chopes mousseuses de Bièraubeurre), Honeydukes (magasin de friandises), etc. La poste est constituée d'environ 200 hiboux perchés sur des étagères, de couleurs différentes pour le courrier urgent ou le courrier lent. On peut y voir le pastiche d'un centre commercial.

Rapeltout : C'est une Boule de verre de la taille d'une grosse bille, comme remplie de fumée, utilisée pour se souvenir de ce qu'on a oublié de faire.

Retourneur de temps : C'est un sablier qui permet de remonter le temps. Un retournement de ce sablier correspond à un retour en arrière d'une heure, deux retournements correspondent à deux heures, etc. Hermione, la bonne élève, s'en sert pour multiplier ses heures de cours.

Sang pur : Se dit d'un sorcier né dans une famille de sorciers (parents et ascendants "purement" sorciers).

Sang-de-Bourbe : Injure désignant un sorcier né dans une famille de Moldus (père Moldu et mère sorcière ou vice-versa).

Strutoscope de poche : Le strutoscope de poche (sorte de toupie) doit normalement s'allumer et se mettre à tourner lorsqu'on est à proximité d'une personne en qui on ne peut pas avoir confiance.

Traduction de quelques termes anglais de *Harry Potter*

Traduction de Jean-François Ménard

Hogwarts : Poudlard
Snitch : Vif d'or
Bludger : Cognard
Quaffle : Souaffle
Muggle : Moldu
Pr Snap : Pr Rogue
Fluffy : Touffu
Gryffindor : Griffondor
Slytherin : Serpentard
Ravenclaw : Serdaigle
Hufflepuff : Poufsouffle
Knut : Noise
Buckbeak : Buck
Fang : Crockdur
Crookshanks : Pattenrond
Sickle : Mornille
Howler : Beuglante
Squibb : Craquemol
Mudblood : Sang de Bourbe
Remembrall : Rappeltout
Parseltongue : Fourchelangue
Wormtail : Queudever
Prongs : Cornedrue
Padfoot : Patmol
Moony : Lunard
Moanig MyrtleMimi : Geignarde

Polyjuice : Polynectar
Pr. Sprout : Pr. Chourave
Mrs Norris : Miss Teigne
Pr Binns : Pr Brûlopot
Mrs Hooch : Mme Bibine
Argus Filch : Rusard
Boggart : Épouvantard
Hogsmead : Pré-au-lard
Sorting hat : Choixpeau magique
Dementor : Détraqueur
Best blowing gum : Bulle Baveuse
Chocolate frog : Chocogrenouille
Whomping willow : Saule cogneur
Leaky Caldron : Chaudron baveur
Tom Marvelo Riddle : Tom Jedusord
Nearly Headless : Nick Quasi Sans tête
Bertie Bott's Every-flavour Bean : Dragée Surprise de
Bertie Crochue

Bibliographie commentée

Bettelheim B., *Psychanalyse des contes de fées*, traduit de l'américain par Théo Carlier, Éditions Robert Laffont, 1976.

Œuvre célèbre du psychiatre et psychanalyste américain présentant le contenu des contes de fée comme une élaboration déguisée, transposée sur le mode imaginaire, des conflits de la maturation psychique de tout enfant.

Ducrot O. & Todorov T., *Dictionnaire encyclopédique des sciences du langage*, Points, 1972.

Pour ceux qui veulent en savoir plus sur les théories de l'analyse des textes, sur la sémiotique, sur les termes linguistiques, etc.

Dupuy J.-P., *Aux origines des sciences cognitives*, La découverte/Poche, 1999.

Une présentation claire de l'histoire de la profonde mutation opérée en psychologie (entre autres) par l'introduction des sciences cognitives.

Lévy P., *Qu'est-ce que le virtuel ?*, La découverte/Poche, 1998.

Un petit livre très utile pour comprendre les implications anthropologiques de la révolution informatique et ceci jusqu'au statut même de la connaissance et de sa transmission. Nous n'avons pas encore pleinement conscience que cette révolution s'étend à nos façons de pensée et de lire.

Luria A.R., *Les fonctions corticales supérieures de l'homme*, PUF, 1978.
Un livre ancien mais qui présente clairement les différentes fonctions mentales. Utile pour comprendre les soubassements des styles cognitifs.

Petitot J., *Physique du sens*, Éditions du CNRS.
Selon l'auteur, les schémas narratifs sont contrôlés par des figures de régulation dont les singularités déterminent les positions et les actants. Ces figures correspondent à des catastrophes résultant d'attracteurs en compétition. Une théorie ardue mais complète des déterminants profonds de la narration.

Poirier J. (sous la direction de), *Ethnologie Régionale*, Tomes I et II, p. 1925, Encyclopédie de La Pléiade, Gallimard, 1978.
Description et analyse des différentes cultures du monde en deux tomes. Un rappel des valeurs et des fonctions anthropologiques de l'initiation (entre autres...).

Propp V., *Morphologie du conte*, Le Seuil, 1970.
Selon Propp, chaque personnage d'un conte exerce une fonction particulière, correspondant à une action. Voici à titre indicatif la liste des fonctions :

1. Un des membres s'éloigne de la maison.
2. Le héros se fait signifier une interdiction
3. L'interdiction est transgressée
4. L'agresseur essaye d'obtenir des renseignements
5. L'agresseur reçoit des informations sur sa victime
6. L'agresseur tente de tromper sa victime pour s'emparer d'elle ou de ses biens
7. La victime se laisse tromper et aide ainsi son ennemi malgré elle
8. L'agresseur porte préjudice à l'un des membres de la famille
9. La nouvelle du méfait (ou du manque) est divulguée ; adresse au héros
10. Le héros décide d'agir
11. Le héros quitte la maison
12. Le héros subit une épreuve qui le prépare à la réception d'un auxiliaire magique (fonction du donateur)
13. Le héros réagit aux actions du futur donateur
14. L'objet magique est mis à la disposition du héros
15. Le héros est conduit près du lieu où se trouve l'objet de sa quête
16. Le héros et l'agresseur s'affrontent dans un combat
17. Le héros reçoit une marque
18. L'agresseur est vaincu
19. Le méfait initial est réparé (ou le manque est comblé)
20. Le héros revient
21. Le héros est poursuivi
22. Le héros est secouru
23. Le héros arrive incognito
24. Un faux héros fait valoir des prétentions mensongères
25. On propose au héros une tâche difficile
26. La tâche est accomplie
27. Le héros est reconnu
28. Le faux héros (ou l'agresseur) est démasqué

29. Le héros reçoit une nouvelle apparence (transfiguration)
30. Le faux héros ou l'agresseur est puni
31. Le héros se marie et monte sur le trône

On voit que Rowling reprend un certain nombre de ces fonctions, mais en délaisse d'autres, pour le moment. Il est possible que les ouvrages futurs reprennent l'intégralité des fonctions réalisant ainsi l'ensemble du schéma narratif.

Lévi-Strauss C., *La pensée sauvage*, Plon, 1962.
Selon cet anthropologue français, les mythes sont des tentatives pour rendre conciliables, à l'intérieur d'un récit, les grandes oppositions structurelles d'une culture.

Freud S. Plusieurs textes de Freud sont éclairants sur le sens des contes et des histoires pour enfants. Ce sont entre autres « *L'intervention dans les rêves du matériel des contes de fée* » (1913), « *Le thème des trois coffrets* », « *Analyse de la phobie d'un garçon de cinq ans* » dans lequel le conte enfantin du loup et des sept petits enfants joue un rôle central dans la névrose de l'enfant. Cf. *Œuvres Complètes*, Psychanalyse, PUF, IX, 1908-1909.

Klein M., *Essais de Psychanalyse*, Payot, 1982.
Selon cette psychanalyste anglaise, l'inconscient de chaque enfant est le lieu d'un conflit permanent entre les mauvais objets persécuteurs et les bons objets apaisants. D'une certaine façon, le monde

de Harry est fort proche par bien des aspects de la théorie de Mélanie Klein. Le clivage entre les parents d'adoption et les parents réels magnifiés, ainsi que la persécution permanente par Voldemort - qui est sans doute une préfiguration de la culpabilité de Harry - sont des thèmes très kleiniens.

Greimas A.J., *Du Sens*, I, II, *Essais sémiotiques*. Éditions du Seuil, Paris, 1983.
On y trouvera la description du carré sémiotique dont je me suis inspiré pour l'analyse du récit ainsi qu'une formalisation très utile des récits en actant, adjuvants, inversion, axiologisation, etc.

Reed S.K., *Cognition, théories et applications*, DeBoeck Université, 1999.
Une synthèse décrivant bien, entre autres, les processus cognitifs sous-jacents à la lecture, telle celui de l'évocation mentale.

Rowling J.K., *Harry Potter à l'école des sorciers*, tome I, Gallimard, 1998.
Harry Potter et la chambre des secrets, tome II, Gallimard, 1999.
Harry Potter et le prisonnier d'Azkaban, tome III, Gallimard, 1999.
Harry Potter et la coupe de feu, tome IV, Gallimard, 2000.

Tisseron S., *Petites mythologies d'aujourd'hui*, Aubier, Paris, 2000.

Un ouvrage contenant une analyse du phénomène *Pokemon* par l'auteur de *Tintin chez le psychanalyste*, Aubier, 1985.

Quelques sites Internet sur *Harry Potter*

Attention, les sites Internet sont parfois volatils.

http://www.harrypotterfans.net
Le site des fans (en anglais)

http://www.geocities.com/EnchantedForest/Mounta
in/5101/
Un autre site de fans (toujours en anglais)

http://www.megaweb.ca/~gauthies/harry.html
Un site personnel en français sur *Harry Potter*

http:// www.ifrance.com/potter/harry.htm
Un site instructif

TABLE DES MATIÈRES

Imprimé en France, par l'imprimerie Hérissey à Évreux (Eure) - N° 96543
HACHETTE LITTÉRATURES - 43, quai de Grenelle - 75015 Paris
Collection n° 25 - Édition n° 02
Dépôt légal : 45753 - mars 2004
ISBN : 2.01.27908.28

Présentation de l'auteur

Benoît Virole est psychologue. Il est l'auteur des ouvrages suivants :

Le voyage intérieur de Charles Darwin, Essai sur la genèse psychologique d'un œuvre scientifique, éditions des archives contemporaines, 2000.

Psychologie de la surdité (avec coll.), De Boeck Université, seconde édition augmentée 2000, première édition 1996.

Sciences Cognitives et Psychanalyse, Presses Universitaires de Nancy, 1995.

Figures du silence, Essais cliniques autour de la surdité. Éditions universitaires, Catalogue L'Harmattan, 1990.

Site personnel : http ://home.worldnet.fr/~viroleb
Contact auteur : viroleb@worldnet.fr

COLLECTION « PLURIEL »

PHILOSOPHIE

Sciences

CLAUDE ALLÈGRE
L'Écume de la terre

WALTER ALVAREZ
La fin tragique des dinosaures

JOHN BARROW
Les Origines de l'Univers

JEAN BERNARD
De la Biologie à l'éthique

MICHEL CAZENAVE
(sous la direction de)
Aux frontières de la science

JEAN-PIERRE CHANGEUX
L'Homme neuronal

GILLES COHEN-TANNOUDJI
Les Constantes universelles

BORIS CYRULNIK
La Naissance du sens
Mémoire de singe et paroles d'homme
Sous le signe du lien

FERNAND DAFFOS
La Vie avant la vie

PAUL DAVIES
L'Esprit de Dieu

RICHARD DAWKINS
Qu'est-ce que l'Evolution ?

JEAN DIEUDONNÉ
Pour l'honneur de l'esprit humain

TIMOTHY FERRIS
Histoire du Cosmos de l'Antiquité au Big Bang

HELEN FISCHER
Histoire naturelle de l'amour

THIERRY GINESTE
Victor de l'Aveyron

SHELDON GLASHOW
Le Charme de la physique

ROBERT KANDEL
L'Incertitude des climats

LOUISE L. LAMBRICHS
La Vérité médicale

PIERRE LASZLO
Chemins et savoirs du sel

RICHARD LEAKEY
L'Origine de l'humanité

LAURENT NOTTALE
La relativité dans tous ses états

JEAN-PIERRE PETIT
On a perdu la moitié de l'Univers

LAURENT SCHWARTZ
Métastases

SIMON SINGH
Le Dernier Théorème de Fermat

JOHN STEWART
La Nature et les nombres

JAMES D. WATSON
La Double Hélice

Sciences humaines

EMMANUEL ANATI
La Religion des origines

RAYMOND ARON
Essai sur les libertés
L'Opium des intellectuels

MARC AUGÉ
Un ethnologue dans le métro

GUY AZNAR
Emploi : la grande mutation

JULIETTE MINCES
La Femme voilée
Le Coran et les femmes

FRANÇOIS PERRIER
L'Amour. Séminaire 1970-1971

ADAM PHILIPPS
Le pouvoir psy

CATHERINE PONT-HUBERT
*Dictionnaire des symboles, des rites
et des croyances*

HUBERT PROLONGEAU
Sans domicile fixe

UTA RANKE-HEINEMANN
*Des eunuques pour le royaume des
cieux*

ANDRÉ RAUCH
La crise de l'identité masculine
*Vacances en France de 1830 à nos
jours*

JEAN-FRANÇOIS REVEL
Comment les démocraties finissent
La Connaissance inutile

DENYS RIBAS
L'Enigme des enfants autistes

PIERRE ROSANVALLON
La Question syndicale

OLIVIER ROY
Généalogie de l'islamisme

JEAN-CHRISTOPHE RUFIN
Economie des guerres civiles
L'Empire et les nouveaux barbares
La Dictature libérale

DENIS SALAS
Le Tiers pouvoir

ALAIN-GÉRARD SLAMA
L'Angélisme exterminateur
Les Chasseurs d'absolu

EVELYNE SULLEROT
La crise de la famille

NINA SUTTON
Bruno Bettelheim. Une vie

SERGE TISSERON
L'intimité surexposée

STANISLAS TOMKIEWICZ
L'adolescence volée

PAUL-EMILE
et JEAN-CHRISTOPHE VICTOR
Planète antarctique

FRANÇOIS VIGOUROUX
Le Secret de famille

BENOÎT VIROLE
L'enchantement Harry Potter

SLIMANE ZEGHIDOUR
Le Voile et la bannière

Histoire

LAURE ADLER
Les maisons closes 1830-1930

MAURICE AGULHON
*La République. 1880 à nos jours.
(2 vol.)*
De Gaulle, histoire, mémoire, mythe

GUILLEMETTE ANDREU
Les Egyptiens au temps des pharaons

MICHEL ANTOINE
Louis XV

PIERRE AUBÉ
Le Roi lépreux, Baudouin IV de Jérusalem
Les Empires normands d'Orient

GÉNÉRAL BEAUFFRE
Introduction à la stratégie

GÉRARD BÉAUR (présenté par)
*La Terre et les hommes, Angleterre
et France aux XVIIe et XVIIIe siècles*

GUY BECHTEL
La Chair, le diable et le confesseur

BARTOLOMÉ BENNASSAR
L'Inquisition espagnole, XVe-XIXe siècles

JACQUES DUPAQUIER et DENIS KESSLER
La Société française au XIXᵉ siècle

JEAN-BAPTISTE DUROSELLE
L'Europe, histoire de ses peuples

GEORGES EISEN
Les Enfants pendant l'holocauste

SIMON EPSTEIN
Histoire du peuple juif au XXᵉ siècle

ESPRIT
Ecrire contre la guerre d'Algérie (1947-1962)

PAUL FAURE
Parfums et aromates dans l'Antiquité

JEAN FAVIER
De l'or et des épices

MARC FERRO
Pétain
Nazisme et communisme

ALFRED FIERRO-DOMENECH
Le Pré carré

MOSES I. FINLEY
On a perdu la guerre de Troie

JEAN FOURASTIÉ
Les Trente glorieuses

CHIARA FRUGONI
Saint François d'Assise

FRANÇOIS FURET
La Révolution (2 vol.)
La gauche et la Révolution au XIXᵉ siècle

FRANÇOIS FURET
et DENIS RICHET
La Révolution française

FRANÇOIS FURET,
JACQUES JULLIARD
et PIERRE ROSANVALLON
La République du centre

FRANÇOIS FURET
et ERNST NOLTE
Fascisme et Communisme

EUGENIO GARIN
L'Education de l'homme moderne (1400-1600)

LOUIS GIRARD
Napoléon III

RAOUL GIRARDET
Histoire de l'idée coloniale en France

PIERRE GOUBERT
L'Avènement du Roi-Soleil
Initiation à l'histoire de France
Louis XIV et vingt millions de Français

FRITZ GRAF
La Magie dans l'Antiquité gréco-romaine

ALEXANDRE GRANDAZZI
La Fondation de Rome

MICHEL GRAS,
PIERRE ROUILLARD
et XAVIER TEIXIDOR
L'Univers phénicien

PIERRE GRIMAL
Les Erreurs de la liberté

JACQUES GUILLERMAZ
Une vie pour la Chine

JEAN-PIERRE GUTTON
La Sociabilité villageoise dans la France d'Ancien Régime

DANIEL HALÉVY
La Fin des notables, la République des ducs

PAUL HAZARD
La Pensée européenne au XVIIIᵉ siècle

JACQUES HEERS
Fêtes des fous et carnavals
Esclaves et domestiques au Moyen Age
La Ville au Moyen Age en Occident

ERIC J. HOBSBAWM
L'Ere des empires
L'ère du capital

ERIK HORNUNG
L'Esprit du temps des pharaons

HUGH JOHNSON
Une histoire mondiale du vin

ANTOINE-HENRI de JOMINI
Les Guerres de la Révolution (1792-1797)

ANTHONY SNODGRASS
La Grèce archaïque

JACQUES SOLÉ
L'Age d'or de la prostitution,
de 1870 à nos jours

JACQUES SOUSTELLE
Les Aztèques à la veille de la conquête
espagnole

ÉTIENNE TROCMÉ
L'Enfance du christianisme

JEAN TULARD
Napoléon

PIERRE VALLAUD
(sous la direction de)
Atlas historique du XXᵉ siècle

JEAN VERDON
Le Plaisir au Moyen Age
La Nuit au Moyen Age

JEAN-PIERRE VERNANT
La Mort dans les yeux

PAUL VEYNE
et CATHERINE DARBO-
PESCHANSKY
Le Quotidien et l'Intéressant

PIERRE VIANSSON-PONTÉ
Histoire de la République gaullienne
(2 vol.)

B. VINCENT
B. BENASSAR
Le temps de l'Espagne
XVIᵉ-XVIIᵉ siècles

EUGEN WEBER
L'Action française

ANNETTE WIEVIORKA
Déportation et génocide
L'ère du témoin

ALAIN WOODROW
Les Jésuites

CHARLES ZORGBIBE
Histoire des relations internationales

ART, MUSIQUE, CRITIQUE LITTÉRAIRE

FRANÇOISE CACHIN
Gauguin

KENNETH CLARK
Le Nu (2 vol.)

JEAN-LOUIS FERRIER
De Picasso à Guernica
Brève histoire de l'art

RENÉ GIRARD
Mensonge romantique
et vérité romanesque

ROBERT GRAVES
Les Mythes grecs (2 vol.)

FRANCIS HASKELL
et NICHOLAS PENNY
Pour l'amour de l'antique

PIERRE-ANTOINE HURÉ
et CLAUDE KNEPPER
Liszt en son temps

LOUIS JANOVER
La Révolution surréaliste

GEORGES LIÉBERT
L'Art du chef d'orchestre

HERBERT LOTTMAN
Flaubert

PIERRE PACHET
Les baromètres de l'âme

JOHN REWALD
Le Post-impressionnisme (2 vol.)

VICTOR L. TAPIÉ
Baroque et classicisme

DORA VALLIER
L'Art abstrait

JEAN-NOËL VON DER WEID
La Musique du XXᵉ siècle